地域創造の国際戦略

**地方と海外がつながる
レジリエントな社会の構築**

藤原直樹 編著

飯田星良・岩田聖子・佐藤敦信・安本宗春 著

学芸出版社

はじめに —— 国際戦略によるレジリエントな社会の構築

　地域創造と国際戦略は古くて新しいテーマである。現代に生きる人々は、豊かな生活のイメージとして、緑が多くて新鮮な空気、そよぐ風を感じながら、創造的な仕事に取り組みたいという思いがあるのではないか。しかし、ビジネス上の競争に打ち勝ち、感性を刺激する多様で新しい情報を求めるため、やむをえず東京など都市部に住まい、長い通勤時間や密集した狭い家にも耐えながら、効率のよいライフスタイルを追求してきたように思われる。

　2020 年の初めから拡大してきた新型コロナウイルスの流行は、人類共通の体験として生活スタイルを根本的に変えている。筆者の大学でも授業はオンラインになり、学生との意見交換も ZOOM などの WEB 会議システムを使って行うようになった。これまで会議の日程と場所の調整をしていたところが、夜 9 時から 30 分間オンラインで会議するというように、これまで活用しにくかった時間を利用できるようになった。また、海外の学会などからも Webinar と呼ばれるオンラインのセミナー案内が頻繁に来るようになり、望めば毎週のようにロンドンやシンガポールで開催される学術的ミーティングに参加できる。一方、特にこのウイルスは都市部に多い「三密」空間において感染拡大のリスクが高いと認識されるように、これまでの 10 年で我が国が経験してきた地震や津波、大雨といった自然災害を含めて、東京一極集中の国土がリスクに脆弱であることが改めて浮き彫りになっている。

　このような中、欧州連合の地域政策部会や OECD は、すべての国が達成すべき社会的目標として SDGs とともに「包摂的な成長：Inclusive Growth」という概念を提示している。1 人も取り残さない発展という理想は非現実的であるかもしれないが、少しでも今後の世界が都市と地方との格差を解消し、包摂的にあらゆる地域において持続可能な発展を目指すことが望ましい。

　また、ツイッター、フェイスブックといったソーシャルメディアの発展により、大手メディアの不在による地方から海外に向けた情報発信の不利さは減少している。さらにテレワークやワーケーションが注目され、働き方改革の進展

とともに、地方に本拠をかまえて生活の質を享受しつつ、世界をターゲットとしてビジネスを展開することも社会的に受け入れられやすくなっている。

　そこで本書は、「地域が直接海外とつながる（国際戦略）」をキーワードに、地域創造を実現するシステムをどのように構築し、地域イノベーションを実現するかという問題意識のもと様々な地域の事例を取り上げ、学際的な観点から、持続可能な社会づくりに向けた地方の活性化について考察する。

　本書は５部構成からなり、それぞれ担当執筆者の学問的バックグラウンドをもとにテーマについて論じる。

　第１部の「自治体国際戦略の展開」では、地域産業政策研究および経済地理学の観点から、それぞれの地域の資源や技術、風土にふさわしい産業や企業を生み出す政策のあり方、グローバルな関係を持つと同時にある程度自立的な地域経済を創造するための手法、地域外の企業や機関との地域産業の発展のための連携に注目する。

　第２部の「農産物の輸出におけるリスク対策と需要への対応」では、農業市場論の観点から、各個別主体の制度的対応と組織間連携に焦点を当て、地域の農産物の安定的な輸出継続に向けた日本国内産地の取り組みから、官民が果たすべき役割と外需獲得策の方向性について検討する。

　第３部の「文化芸術を起点にした地域創造と国際戦略」では、文化経済学の観点から、海外から日本に渡航・滞在する芸術従事者の推移とともに文化芸術を起点にした地域創造の事例を集め、旅行者誘致による地域の発展や、文化芸術を創造し発信するための組織体制などについて論じる。

　第４部の「内発的地域振興と観光」では、観光学の観点から、内発的地域振興政策としての観光がどのような役割を果たすのかを論じ、地域社会における受け入れ態勢などの議論を踏まえた観光客の質的な拡大についての展望を示す。

　第５部の「異文化コミュニケーションと観光人材育成」では、異文化コミュニケーションと人材育成の観点から、その地域の文化や風土、人々を土地の魅力として海外発信する観光戦略と、インバウンド対策としての人材育成に焦

点を当て、人口減少・高齢化が進む歴史的観光地と、観光ブランド化によって人口増加を続ける町の事例を紹介する。

このように、地方が直接海外とつながることで経済・社会面に多様性を生み出し、強靭で回復力のある地域を創造するために、自治体をはじめ地域の様々なアクターが協働して果たすことができる役割と、その効果的な政策実施手法、産官学が連携するプラットフォームのあり方について課題と展望を論じていく。

さて、本書執筆時点において新型コロナウイルスの感染拡大は止まらず、ほとんど海外渡航はできない状態にある。しかし、この状況が今後永続的に続くわけではなく、国際化の流れが逆行することはないだろう。歴史的に2003年のSARS（重症急性呼吸器症候群）、2009年のリーマンショック時もいったん減少した国際観光客数はその後継続して増加し、世界の貿易量も2009年には大きく減少したが、この20年程度の期間で見ると増加傾向にある。

今後数年といった単位で見れば、国境を超えた取引が引き続き拡大する可能性は高い。コロナ後の社会においてそれぞれの地域がいっそう輝けるようにヘッドスタートできるかどうかは、今の時期の取り組み次第ではないだろうか。本書が新型コロナウイルスをはじめ様々な危機に対するレジリエントな社会を構築しようとする人々の、なにか助けになれば幸いである。

なお、本書に至る研究および出版にあたっては追手門学院大学プロジェクト型共同研究奨励費制度・課題名「地域イノベーションによる海外需要の創出と取り込みに関する学際的研究」および追手門学院大学研究成果刊行助成制度による助成を受けた。特に2020年度当初、新型コロナウイルス対策として前例のない大学運営が行われる中で対応していただいた追手門学院大学学長室（研究・社会連携グループ）・研究費チームをはじめ関係者の皆様には深く感謝申し上げる。

2021年1月
藤原直樹

目次

第1部
自治体国際戦略の展開

藤原直樹

第1章

自治体国際戦略による地域イノベーション

1-1 | グローバル化と知識社会化のもとでの地域の競争力

　今日の知識社会において、地域活性化の重要な視点は「どのようにしてイノベーションを生み出すか」である。既存の地域資源を活用したり、生み出されるモノやサービスの新しい利用方法、その加工・提供方法をつくり出すといったイノベーションは、地域社会や経済、産業構造にポジティブな変化をもたらす。そこで、地域において戦略的にイノベーションを生み出す組織や人々の関係性としての「地域イノベーションシステム（Regional Innovation System）」の構築が求められる。

　地域イノベーションシステムは学際的な観点から様々に論じられているが、Porter（1990）による国や地域の競争優位の研究、産業クラスター研究や野中・竹内（1996）の知識創造研究などをもとに、日帰りできるくらいの一定の地理的範囲内に特定の分野の企業や研究機関が集積して競争と協働を繰り返し、共通して高度なインフラを活用し、公式・非公式を問わず、それら専門的知識を有する人々が対面で意見交換することで、暗黙知と型式知との変換を通じた知識創造を活発化させる、新たなアイディアが生まれてくるような「場」の形成が重要とされる。イノベーションの創出には、ある特定の分野における多様

な知識「関係多様性（Related Variety：Frenken ほか、2007）」の集積が求められ、イノベーションの観点からの都市論では「創造都市（Creative City）」をキーワードに、クリエイティブクラスという、都市において高付加価値を生み出す産業と専門職に注目した Florida（2004）や佐々木（2012）に基づく研究が蓄積されている。

　本章では、上記のような研究の流れを踏まえた上で、グローバル化の中で異なる知識・文化や技術を有する海外との接続による地域活性化のあり方について検討する。地域の国際化を、在住外国人との多文化共生や外国人観光客誘致だけでなく、地域産業のグローバルなバリューチェーン*1への参画や地域資源のプロダクトイノベーション、これまでのビジネスプロセスのイノベーションにつなげるような自治体による国際戦略の取り組みについて検証する。

　なお、地域イノベーションシステムの構築を行い、地域活性化を実現させようとするのは、企業と異なり「その場所から逃げることができない」自治体を中心に、地方銀行や商工会議所などの経済団体であるが、その取り組み内容はそれぞれの地域の産業構造などに経路依存（Path Dependence）している。地域の発展は、それぞれの地域に付与されている資源や、それぞれの地域のこれまでの産業や歴史・風土的背景の上に成り立つものであるため、望ましい海外との接続方法は地域によって異なる。さらに地方は東京など都市部と比べてその動員できる資源の少なさから、不確実性の高い海外との接続には困難が伴うことがあることも踏まえつつ、地方都市においてどのような取り組みが可能かを本章の後半に述べる。

1–2 ｜ 自治体国際戦略とその現状

1　自治体国際戦略の制定状況

　本節では、日本における自治体の国際戦略の現状について確認する。最初に本書における自治体国際戦略の定義を確認したのち、日本における自治体によ

る国際戦略の制定状況を俯瞰的に見た上で、いくつかの事例について個別に確認する。

　自治体国際戦略を「自治体が設ける行政計画であり、その地域が海外とどのような関係性を築きたいか、決意を表明するとともに、その方針と具体的な施策のメニューを記すもの」と定義する[*2]。そもそも「戦略」とは、闘争に勝つための総合的・長期的な計画であり、組織運営にあたり将来を見通しての方策や、主要な敵とそれに対応すべき味方の配置を定めることとされる。

　自治体による国際化計画が、その地域の国際交流の対象とする国や地域といった相手方があるとしても、地域の国際化を進めるという目的は地域内で自己完結するものであるのに対し、国際戦略はなんらかの争う相手方があっての対策を明示するものであり、国際的な都市・地域間競争を意識した言葉の用法である。いいかえれば自治体国際戦略は、地域を総合的に統括する政府として、人や予算などの資源制約がある中、海外との交流についてどのような分野に重点的に取り組み、地域を発展させる機会を創造し、その地域の存在感あるいはブランドイメージを高めるかという方針および手法を示すものである[*3]。

　日本には約1700の自治体があるが、広域自治体である都道府県、そして基礎自治体の中で規模の大きい政令指定都市と県庁所在地の自治体について国際戦略の制定状況をまとめた（表1・1）。

　その結果、都道府県のおよそ半数（24団体）において、国際戦略といえる海外に関する経済的な交流を振興するための行政計画が制定され、2010年以降急激にその数を増加させていた[*4]。自治体の国際関係業務の重心は、姉妹都市交流による国際交流、平和構築から、地域における外国人住民との共生とともに経済的な実利を目指す交流へと変化している。次に基礎自治体については政令指定都市（20都市）のうち15自治体（75％）で国際化関係の計画を策定しており、その中でも7自治体の計画は「戦略」といえる内容を含むものである。県庁所在地の基礎自治体については、政令市を除く県庁所在地（31都市）のうち10自治体（32％）で国際化関係の計画を策定しており、これらは地域の外国籍住民を対象とする多文化共生のまちづくり推進に重点を置くも

表1・1　自治体の国際戦略等制定状況

広域自治体 （都道府県）	「国際戦略」あるいは特定の地域との交流構想を策定しているもの （24団体）	北海道グローバル戦略（2017）、いわて国際戦略ビジョン（2017）、みやぎ国際戦略プラン（2017）、秋田県東アジア交流推進構想（2011）、第2次山形県国際経済戦略（2020）、とちぎ国際戦略（2021予定）、第2次群馬県国際戦略（2016）、千葉県国際戦略（2017）、東京都都市外交基本戦略（2014）、石川県国際化戦略プラン（2016）、富士の国やまなし国際総合戦略（2016）、グローバル長野戦略プラン（2016）、岐阜県国際交流戦略（2007）、静岡県地域外交基本方針（2018）、あいち国際戦略プラン2022（2018）、みえ国際展開に関する基本方針（2018）、大阪都市魅力創造戦略2020（2016）、兵庫国際新戦略（2003）、佐賀県国際戦略（2014）、長崎県アジア・国際戦略（2011）、大分県海外戦略（2019）、宮崎グローバル戦略（2016）、沖縄県アジア経済戦略構想（2015）
	上記ではないが、「国際化推進」などという名称で策定しているもの （13団体）	あきた国際化推進プログラム（2018）、ふくしま国際施策推進プラン（2013）、いばらきグローバル化推進計画（2016）、かながわ国際施策推進指針（2017）、新潟県国際化推進大綱（2002）、富山県国際立県プラン（1990）、福井県国際化推進プラン（2002）、滋賀県国際施策推進大綱（2003）、奈良県国際交流・協力推進大綱（2003）、新・やまぐち国際化推進ビジョン（2003）、えひめ国際化・多文化共生指針（2018）、高知県国際交流推進ビジョン（1994）、くまもと国際化総合指針（2009）
	その他、個別テーマの国際戦略を策定しているもの （5団体）	青森県輸出・海外ビジネス戦略（2019）、国際リゾートとっとりプラン（2013）、広島県農水産物輸出戦略プラン（2012）、徳島県経済グローバル化対応基本方針（2019）、鹿児島県農林水産物輸出促進ビジョン（2018）
基礎自治体 （政令指定都市）	「国際戦略」を策定しているもの （7団体）	札幌市国際戦略プラン（2014）、横浜市国際戦略（2016）、浜松市国際戦略プラン（2019）、大阪都市魅力創造戦略2020（2016）、神戸市国際戦略（2015）、「グローバル創業都市・福岡」ビジョン（2015）、熊本市国際戦略（2018）
	上記ではないが、「国際化推進」などという名称で策定しているもの （8団体）	新潟市国際化推進大綱（2015）、千葉市国際化推進アクションプラン（2012）、さいたま市国際化推進基本計画（2014）、川崎市国際施策推進プラン（2015）、さがみはら国際プラン（2010）、京都市国際化推進プラン（2014）、堺市国際化推進プラン（2018）、北九州市国際政策推進大綱（2016）
基礎自治体 （県庁所在地）		秋田市国際交流マスタープラン（2016）、第2次宇都宮市国際化推進計画（2014）、金沢市国際交流戦略プラン（2015）、津市国際化基本計画（2013）、大津市国際化推進大綱（2014）、鳥取市国際交流指針（2016）、山口市国際化推進ビジョン（2013）、長崎市アジア・国際観光戦略（2011）、第3次大分市国際化推進計画（2017）、鹿児島市ネクスト"アジア・鹿児島"イノベーション戦略（2018）

出典：各自治体のホームページ等より筆者作成。なお記載年について、判明したものは最新の改訂年、それ以外は制定年としている。

のがほとんどを占める。

　これらの計画の内容を見ると、「国際戦略」を名称としている計画は、グローバル化と国際的な地域間競争を意識し、発展する海外の活力を取り込み、海外の様々な都市政策の優れた事例を学んで地域に活かしていくといった、海外との交流を手段として地域の社会・経済の活性化を目的とする内容となっている。一方、「国際化推進」などの名称で策定されている国際関係の計画は、多文化共生の内容を主とする計画も、経済交流促進を主とする計画もあり多様である。基礎自治体による国際戦略の策定は増加傾向にある。

2　自治体国際戦略の具体的取り組み

　本項においては、自治体国際戦略による地域イノベーションの取り組みとして、筆者が調査した表1・1に記載する国際戦略の中で、記載内容が具体的で分量としても多かった三重県、佐賀県、横浜市、北九州市の事例を取り上げ、それぞれの自治体の国際戦略の内容とその取り組みを確認していく（表1・2）。

表1・2　自治体国際戦略の取り組み概要（筆者作成）

三重県	イノベーション創出（産業開発） （三重モデル：行政間→研究機関間→企業間）
佐賀県	海外販路開拓（地域産品の海外市場販路開拓） 交流人口増加（ロケ誘致・日本語学校誘致）
横浜市	交流人口増加（国際イベントに合わせた都市プロモーション） 外資系企業誘致・海外販路開拓（国際ビジネス環境整備）
北九州市	海外販路開拓（環境技術のアジア展開による国際ビジネス振興） （北九州モデル：国際技術支援→ビジネス振興→交流人口増→多文化共生）

◆みえ国際展開に関する基本方針

　三重県は2012年7月に策定した「みえ産業振興戦略」の中で海外展開戦略を定め、拡大する海外市場への展開を目指す県内企業の支援と海外の成長を取り込む方針を示した。2013年9月、県は「みえ国際展開に関する基本方針」を策定（2018年3月改定）して、県の強みを発揮できる分野および海外の国・地域に対して、これまで培ってきた国際的なネットワークを活かしつつ、限ら

表１・３　三重県国際展開の３ステップ

第１ステップ	草の根の継続的な民間交流や文化交流といった基盤の上に、相手国・地域とのチャンネルづくりによる信頼関係・産業交流の土台を構築
第２ステップ	県内企業のニーズやシーズを把握している支援機関が海外の大学または研究機関等との窓口になり「ファシリテーター」として具体的なプロジェクトと仕組みを創出
第３ステップ	官学連携をベースに多くの企業が参加できる産業連携を展開

（出典：三重県（2018）pp.10 ～ 11 をもとに筆者作成）

れた資源の中で戦略的に施策を実施するとし、実施体制として 2015 年に県知事を会長とし、地方銀行や商工会議所など経済団体と、三重大学からなる「みえ国際展開推進連合協議会」を国際展開のプラットフォームに位置づけた。

　同方針で示す三重県国際展開の重点分野としては、ライフイノベーション分野における海外連携の推進、医療分野における連携、国際展開の取り組みを通じた「食」関連産業のステージアップ（高付加価値化）、スポーツを通じた海外との交流の促進が掲げられ、施策実施プロセスの「三重モデル」として次の３段階が示されている（表１・３）。

　この三重モデルでは、海外の国・地域との文化交流により構築した政府間の信頼や、草の根レベルの民間交流を基礎として、支援機関がそのネットワークと専門性を活かしてそれぞれの地域の主体間のマッチングを行うプロジェクトを企画運営し、そこに企業が参画できるビジネス機会を創造する。図１・１に示す台湾との産業連携の事例においては、まず、台湾の行政機関と三重県庁が行政機関レベルでの官官連携を行った上で、台湾の研究機関や大学と三重大学との高等教育研究機関間での連携が行われ、このような関係性構築のもとで国や日本貿易振興機構（Japan External Trade Organization：JETRO）の支援を活用して三重県の企業が台湾企業との商談や、経営者の交流をすることによる、新たなビジネスアイディアが生まれる場をつくる産産連携を進めるとしている。

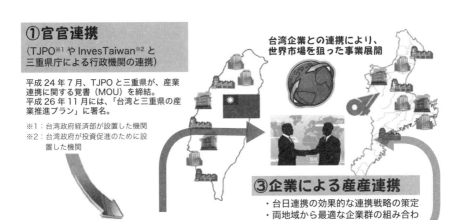

①官官連携
(TJPO※1 や InvesTaiwan※2 と
三重県庁による行政機関の連携)

平成24年7月、TJPOと三重県が、産業
連携に関する覚書（MOU）を締結。
平成26年11月には、「台湾と三重の産
業推進プラン」に署名。
※1：台湾政府経済部が設置した機関
※2：台湾政府が投資促進のために設
　　置した機関

台湾企業との連携により、
世界市場を狙った事業展開

②学学連携
(ITRI※3や南台科技大学等※4と三重大
学地域戦略センター（RASC）による
産業界の窓口となる機関の連携)

※3：工業技術研究院
※4：台湾産業界と幅広いネットワークを
　　有する私立の科技大学

③企業による産産連携
・台日連携の効果的な連携戦略の策定
・両地域から最適な企業群の組み合わ
　せを抽出

●具体的な取組内容●
①国やジェトロの支援事業を活用して、三重県の
　ものづくり企業がプロジェクトチームを作り、
　台湾のものづくり企業とのマッチングを図る。
②台湾と三重県の若手経営者の交流を通じて、両
　者が共通の課題を克服する基盤とする。

図1・1　三重モデルの3段階 ── 台湾との産業連携 (出典：三重県（2018）p.13)

　この方針に基づき三重県では、台日産業連携推進オフィス、タイ投資委員会、米国・ワシントン州、テキサス州サンアントニオ市、インド・カルナタカ州、フランス・ヴァルドワーズ県、香港貿易発展局との間で産業連携に関する覚書などを締結し、第1ステップにあたる行政間ネットワークを構築している。そして、第2ステップとしてドイツの研究機関との環境・エネルギー分野を中心とする産学官連携を経て、第3ステップとして航空宇宙産業における県内企業の米国での取引成約・拡大（輸出、技術提携）や欧州市場への参入と技術の高度化、海外への県産農林水産物・食品の販路拡大、食関連産業の誘致や食品開発の支援、グリーンツーリズムなどの地域の食文化体験といったプロジェクト創出につなげている。

◆佐賀県国際ビジョン

　2011年に佐賀県は佐賀県国際戦略「世界とつながる佐賀県行動計画」（2014年に改定）を、2015年にはその取り組み成果を踏まえた「佐賀県国際ビジョン〜 Excellent　SAGA 〜」を策定した。国際ビジョンの基本姿勢は、第1に「創造的豊かさ」による佐賀の魅力向上、第2に佐賀の魅力の総合展開、第3に相互理解と Win-Win の関係づくりとされており、主な国際関係の取り組みとしては、海外からの観光インバウンド、佐賀空港への LCC 誘致（春秋航空、ティーウェイ航空、タイガー航空）、産品の海外販路開拓、外資系企業の誘致が挙げられている。

　佐賀県では地場産品の有田焼の海外販路拡大を進めており、有田焼創業400年事業プロジェクトでは、2013年に交わされた在日本オランダ王国大使館との「クリエイティブ産業の交流に関する協定」に基づき、有田焼の16の窯元・商社と8か国16組のデザイナーが協業し、オランダのデザインを取り入れた新ブランド「2016/」を立ち上げた。

　2016年4月にはイタリア・ミラノで開催された世界最大規模のデザイン展示会「ミラノサローネ」や、フランス・パリで開催された世界最大級のギフト関係の国際見本市「メゾン・エ・オブジェ」に県の費用で有田焼を出品した。有田焼の販路は、それまで旅館などを対象とする業務用向け販売が多かったが、デザイン性を高めてプロダクトイノベーションを進めることで国内外を含む個人向け販路開拓を進めている。このように、日本の地方政府と外国政府の行政間の信頼に基づき、地域へオランダのデザインという知識・技術を導入することで新たな商品開発を図る地域イノベーションを生み出す仕組みを構築している[5]。

　さらに、外国人観光客向けとしては佐賀県フィルムコミッションを設置して映像コンテンツのロケ誘致を行い、地域と一体となった映像作品づくり支援や、映像を通じた佐賀県の情報発信を行っている。実際に、佐賀県鹿島市にある祐徳稲荷神社はタイ映画やドラマのロケ誘致により映画「タイムライン」（2014年）やドラマ「きもの秘伝」（2015年）のロケ地になるとタイ人観光客が急増

した。タイ人観光客の佐賀県内への宿泊者数は 2013 年に延べ 370 人だったが、14 年は 1540 人、15 年は 4590 人と急増した。境内に飾られた絵馬にはタイ語の願いが書かれるようになり、同神社ではおみくじを 6 か国語に翻訳し、社を塗り替え、門前商店街の店舗は観光客向けに着物の着付けや写真撮影サービスを始めるなど地域における新たな商品やサービスの開発につながった[*6]。

　なお、2019 年に佐賀県フィルムコミッションは、「戦略的にリサーチ、企画提案、撮影支援、そして作品のプロモーションまでをパッケージで行うことでタイにおける佐賀県の知名度は非常に高く、フィリピンにおいても 4 作品を続けて誘致に成功し、観光客増加だけにとどまらず文化・流通面でも外交戦略に成功しており、どこよりも早くアジアの広い範囲へアプローチを続け佐賀県の知名度向上に尽力している」としてジャパン・フィルムコミッションより表彰されている[*7]。

　さらに 2015 年には佐賀市中心部の佐賀市立バルーンミュージアムの 4 階に佐賀県・佐賀市の支援のもと日本初の産学官連携による日本語学校が開校した。この学校にはベトナム 35 人、ネパール 28 人、スリランカ 20 人など 113 名が在籍している（2017 年 11 月現在）。日本語学校では、佐賀県フィルムコミッションの協力を得て留学生らが佐賀の魅力を伝える動画を制作することで、地域の多様性を高めるとともに、地域の魅力発見と新たなコンテンツの創出につなげている[*8]。

◆横浜市国際戦略

　横浜市は「海外諸都市との都市間交流指針」（2006 年策定、2007 年改定）および「第二の開国をリードする横浜の国際都市戦略」（2009 年策定）を統合するものとして 2016 年に「横浜市国際戦略」を策定した。この戦略で示した全体の枠組みや方向性、重点的に取り組むべき事項を踏まえて、具体的な事業を補強、進化させていくことで、国際事業をより効果的に展開していくとしている。

　横浜市は、国際戦略の中の重点政策として国際的な都市プロモーション

（MICE*9誘致）を位置づけ、オリンピック・パラリンピック、ワールドカップラグビーなど国際イベントを契機とした情報発信とともに、2019年8月に開催された第7回アフリカ開発会議（TICAD7）などの国際会議の誘致を行ってきた。

　市役所内での体制としても2015年4月の組織改編において、多様な人材が横浜を訪れることで活力が生まれ、横浜が世界から選ばれる都市になることを目指し、姉妹都市との人的ネットワークや専門知識を持った職員が国際的な事業をサポートする組織として、政令指定都市で初となる国際局を設置した。海外事務所も、上海、フランクフルト、ムンバイに続き2018年11月にニューヨークに新事務所を設置している。こうして、大規模イベント開催地として横浜の国際的なブランドイメージを高めるとともに、市の事業を国際面から支援すべく戦略的な組織改編を行っている。

　具体的な施策として、同市の中小企業の海外展開支援では、外郭団体である横浜企業経営支援財団の専門知識を有するプロパー職員が中心になって、ベトナムとタイに企業向けのレンタル工場を整備し、海外展開のための見本市出展には一部経費を補助している。外資系企業誘致の取り組みについて、同市への1993年から2016年までの進出企業は上位から米国162社、ドイツ60社、英国44社と欧米の企業が多い。特に研究開発でオープンイノベーションを行う機能をターゲットとして誘致しており、米国やドイツ、英国、カナダを中心とする外資系企業向けの入居しやすい施設を整備するほか、外資系企業のみが3年間安価で利用できるレンタルオフィスを整備している。入居した企業は経営相談、資金調達支援、販路開拓、市内企業とのビジネスアポイントの取得、会社設立等の手続き支援、企業交流支援、広報・PR支援などのサービスを受けることができる。また、外資系企業特例として、成長産業である環境・エネルギー、健康医療、観光・MICE、そして成長産業を支える重点分野であるITと製造業に対して助成制度を設けている。外資系企業誘致は神奈川県庁やJETRO横浜と連携して実施しており、企業立地の最初の情報は海外事務所やJETRO横浜から得られることが多い。このように、独自の海外拠点や国の機

関と連携して、特に市が今後発展させたいと考える重点産業分野を中心に外資系企業の立地を支援することで、新たな知識や技術が地域に流入し、さらに地元企業との取引や協働を支援することで地域産業の高度化につながるイノベーションを生み出す環境を整備している。

◆北九州市国際政策推進大綱

　北九州市は、北九州市基本構想・基本計画（「元気発進！北九州」プラン）の国際政策にかかる部門別計画として、海外との交流と外国人市民についてソフト・ハード両面からの国際政策の方向性を定める国際政策推進大綱を2016年に改定した。大綱では、国際政策の目標を「アジアにおける北九州ブランド『グリーン成長都市』を確立し、アジアから人・物・投資・情報が集まる都市」になることと掲げ、環境・上下水道分野を中心とした国際協力を推進し、アジア諸都市とのネットワーク基盤を確立させ、都市インフラ輸出など国際ビジネスを促進して、環境技術あるいは環境ビジネスの分野で国際連携による地域イノベーションシステム構築を目指すとしている。

　2010年6月に同市は、発展著しいアジア地域をターゲットに、日本の環境技術を北九州で集約し、その集積の利益によって、効果的に技術イノベーションを創出する組織として外郭団体「アジア低炭素化センター」を開設した。同センターは、アジア各都市において環境配慮型都市づくりを進めるため、市内企業と連携して2015年8月までに廃棄物処理や環境改善など110のプロジェクトをアジア14か国65都市で実施し、相手側の課題ニーズに応じたパッケージ型インフラの海外輸出を進めている。

　また、同市は2010年に、官民連携で海外での水ビジネスを推進する組織である「北九州市水ビジネス推進協議会」を設立して公営上下水道事業の海外展開を進め、同時に市の環境国際戦略課では国際協力機構（Japan International Cooperation Agency：JICA）などの補助金メニューを使った国際連携のきっかけづくりに取り組み、2015年3月には市内企業がベトナム・ハイフォン市水道公社から受注するなどの成果をあげている。

このように、同市は環境国際戦略として市の行政ノウハウや環境技術を体系的に整理した「北九州モデル」を構築し、「都市インフラ輸出」というビジョンのもと、上下水道事業などの海外展開を、市内企業のビジネス展開のチャンスとして進めている。そして、同大綱における施策の数値目標として、2020年に都市インフラ輸出投資金額500億円、都市インフラ輸出雇用創出数100人、外国人観光客数26万人、MICE開催件数120件を掲げている。上下水道といった環境技術を特色に挙げることで、環境先進都市としての都市ブランドイメージを高め、公営上下水道事業が率先してアジアへの国際協力事業に国の組織と連携して取り組むことで、現地政府との信頼関係の上で地元企業のビジネス機会と結びつける「場」を設ける取り組みとなっている。

　地域における環境政策の構築から上下水道事業の経営管理、国際交流の調整と合意形成の技術、国の機関との連携、地域の中小企業のニーズや技術の把握と、その技術と現地ニーズとのマッチングの見極め、商談会の設定と言語面から法制度までの情報提供を含めた効果的な支援など、同市の取り組みには様々な分野の自治体政策を統合して運用することが必要となる。

　本節では、日本における自治体の国際戦略の制定状況とその具体的な取り組み内容を確認してきた。次節では、この内容を踏まえて地域が海外とつながることによるイノベーションについて考察する。

1-3 ｜ 国際戦略による地域イノベーションのプロセス

1　国際戦略の推進による地域イノベーションモデル

　自治体国際戦略による地域イノベーション創出のプロセスを整理すると、三重県は、みえ国際展開推進連合協議会を国際展開のプラットフォームとして、医療や食、ICT・ビッグデータに関する分野での産業支援に重点を置き、国として取り組みにくい台湾などにアプローチし、官官連携から最終的には企業間のビジネスにつなげるプロジェクト創出システムを「三重モデル」として進め

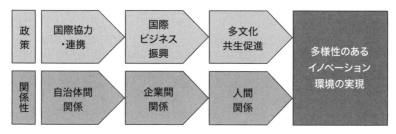

図1・2　国際戦略による地域イノベーションプロセス（筆者作成）

ている。佐賀県は、外国政府と連携し海外から新たな知識や技術を導入することによる商品開発や、海外需要創出による地場産業の高度化に取り組んでいる。横浜市は、国際局という国際業務を専門的に支援する組織体制を充実させ、国際イベント誘致による都市ブランド向上と外資系企業誘致による国際ビジネス振興に努めている。北九州市は、市の行政ノウハウや環境技術を体系的に整理した「北九州モデル」を構築し、国際協力を通じた海外とのネットワークを活用して国際ビジネスを中心とした経済産業振興を図り、それにより増加する外国人訪問者との多文化共生施策を推進し、その多様性が地域経済の活性化につながるという好循環を生み出すことを目指している。

　このような国際戦略による地域イノベーションプロセスは図1・2のように整理できる。まずは、自治体や政府間で国際的な技術協力や政策情報の交換、文化交流が行われる。双方の地域にメリットがあり、産業面やビジネスの観点から相互補完できるような地域資源を活用したプロジェクトの組成が発案され、試行的な交流の取り組みが実施される。そして、政府間の信頼を通じた関係性を基盤としてビジネス機会が創出され、それによるビジネス目的、あるいは関連した人の移動が生じる。国際的な交流による外国人滞在者の増加は、地域において多文化共生を促進させるニーズをもたらし、自治体は外国人が住み、訪れやすい環境整備を行うことになる。このように交流人口が増加したならば、地域における新たな知識と多様性が生まれ、それらの知識の組み合わせによる新たなイノベーション環境の創出が期待される。

　ここで、自治体の役割とは、政府間関係を通じて構築されたネットワークに

より、それぞれの政府が一定の選別を行った企業群に対して商談会などの「場」が設けられビジネスを行うことで、国内取引と比べて国際ビジネスに存在する文化・慣習の相違がもたらす高い不確実性を低下させ、相手の信頼性を図るために企業が調査を行い繰り返し面談することによる時間的・金銭的な取引コストを減少させることにある。

2　自治体規模別の国際戦略の可能性

　これまで地方が海外と直接つながることによる地域イノベーションのプロセスについて述べてきたが、約1700ある自治体のすべてが同じような施策を行えるわけではない。そこで、自治体による国際戦略の取り組みをより詳細に分析するために、

①都道府県および政令指定都市
②人口20万人以上の県庁所在地および中核市
③それ以下の人口規模の自治体

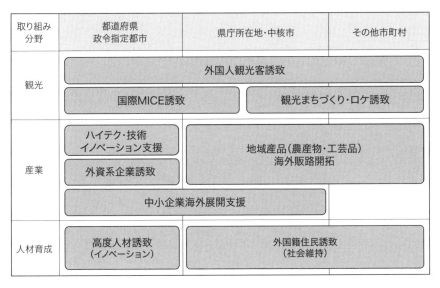

取り組み分野	都道府県政令指定都市	県庁所在地・中核市	その他市町村
観光	外国人観光客誘致		
	国際MICE誘致	観光まちづくり・ロケ誘致	
産業	ハイテク・技術イノベーション支援	地域産品(農産物・工芸品)海外販路開拓	
	外資系企業誘致		
	中小企業海外展開支援		
人材育成	高度人材誘致(イノベーション)	外国籍住民誘致(社会維持)	

図1・3　自治体規模別の国際戦略の取り組み（筆者作成）

の３つに自治体を区分し、これまでの国際戦略の調査より確認してきた各自治体による地域と海外を接続する取り組みを、大きく観光関係、産業関係、人材育成関係に当てはめると、図１・３のような整理ができる。

　第１に観光の観点から、外国人観光客誘致は自治体の規模を問わず取り組める。ただし、都道府県といった広域自治体や比較的大規模の政令指定都市では国際会議やコンベンション、見本市、さらには大規模スポーツイベントなどのMICE誘致による都市ブランドの形成、ビジネス客誘致が見られるが、小規模の都市は、歴史・文化施設、まちなみや自然といった地域資源の発信（フィルムロケーション誘致も含む）による観光客をターゲットとすることになる。自治体は日本政府観光局（Japan National Tourism Organization：JNTO）や自治体国際化協会（Council of Local Authorities for International Relations：CLAIR）など国の関連機関の支援を活用して、効果的に地域情報を発信する仕組みづくりを進めることができる。

　第２に、産業の観点からは、農産物や工芸品といった地域産品の海外販路開拓は、小規模自治体から広く展開することが可能である。大規模自治体は自らの外郭団体などを活用して独力で専門人材を集め、海外市場開拓を行う。小規模自治体は日本貿易振興機構や自治体国際化協会の支援や、中小企業基盤整備機構、日本商工会議所および全国商工会連合会との連携によりバイヤー招聘や商談会参加、海外見本市出展などの取り組みを行っている。海外のバイヤーやデザイナーを地域に招聘して地場産業と人的な交流を行い、海外市場が求めるデザインや機能の商品を開発するプロダクトイノベーションの取り組みも進められている。

　第３に、同じく産業の観点から、海外との交流は先端的な知識・技術・情報を地域にもたらしイノベーションを創出するきっかけとなる。大規模自治体では、海外の自治体や大学、国際機関とテーマを決めた連携を図り、成長産業の外資系企業を誘致することで、イノベーションを生み出す技術や知識の地域への導入と多様性の獲得を目指す取り組みが見られる。また、ハイテクベンチャー企業などを支援する国際連携プログラムも政令指定都市などで行われてお

り、福岡市は外国人による起業を支援するグローバル創業特区の取り組みを、神戸市は米国シリコンバレーの起業家支援企業と連携した起業家育成プログラムを実施している[*10]。

　第4に、供給面での中小企業の海外展開支援（生産拠点の海外移転）は、比較的大規模の政令指定都市や東京都区部で、アジアの工業団地と連携して行っている場合がある。前節で述べた横浜市の事例の他にも、東京都大田区ではタイに大田区の企業向け集合工場を設置することで、地域企業の生産面のコストダウンにつなげるとともに、顧客開拓の可能性が生まれるなど、生産の合理化と市場拡大を目指している[*11]。

　第5に、人材育成面でも、大都市においては海外から高い能力を有する外国人人材を呼び込むための環境整備と都市ブランディングの取り組みが行われている。これは本章1節でも述べた Florida（2004）のクリエイティブクラス誘致にあたるものである。一方、地方都市では自治体が積極的に日本語学校を誘致するなど、地域社会を支える機能を主としてアジアからの定住外国人に求める必要性が生じている。すでに本章2節で佐賀県の事例を取り上げたが、鳥取市ではベトナム籍住民が2013年の6人から2017年には108人に増加した流れを加速するため日本語学校の開設を支援し、2019年4月には鳥取城北日本語学校が開校している[*12]。

　このように地方都市において、これまでは国の様々な補助制度を活用して工業団地や工業用水、高速道路等のインフラ整備により都市部にある大企業の工場誘致をすることが地域産業振興の主たる方法であったが、日本全体としてサービス産業化する中で「人の誘致」という観点から日本語学校も誘致の対象となっている。

　以上、本節においては自治体国際戦略による地域イノベーションの理論的検討と、自治体の規模別に国際戦略としてそれぞれの団体が取り組むことができる地域と海外とを接続する施策を整理した上で、地域イノベーションのあり方について考察した。

1-4 | 国際戦略による地域イノベーションシステムの実装化に向けて

　本章においては、知識社会におけるイノベーション創出の手段として地域が海外と接続する手法、その政策のまとまりとしての自治体国際戦略について日本の状況を確認し、地域イノベーションシステムとしての国際戦略のあり方を検討した。

　地域イノベーションのプロセスモデルは、地方自治体間関係の国際交流を企業間関係の国際ビジネス振興につなげ、これらを通じて増加する地域への外国人訪問客を受け入れて多文化共生を促進する中で、多様性とイノベーションを追求するものである。このような政府間関係に基づく信頼は国際ビジネスの取引コストを削減し、知識・技術の新結合によるイノベーションを創出する土台となる。

　海外との交流を地域経済活性化につなげようとする国際戦略を策定する自治体は増加傾向にある。このような地域外との連携の狙いは、縮小する国内市場に変わる海外市場への期待、そして社会を支える存在としての外国籍住民への期待であり、拡大するアジア経済の需要を取り込み、東京を介さず直接海外と接続することによる付加価値の獲得や、地域イノベーション創出に向けた知識の導入と多様性向上でもある。

　さて、広井ほか（2020）によればAIにより約2万通りの日本の未来についてシミュレーション分析したところ、「都市集中型」と「地方分散型」の2つのシナリオのうち、人口、地域の持続可能性や格差、健康、幸福の観点からは地方分散型が望ましく、日本社会を地方分散型に導くには地方税収や地域雇用について経済循環を高める政策を継続的に実行する必要があるという[13]。

　今後、地方都市がその地域に応じた国際戦略に取り組み、それぞれの規模の都市において海外の知識と技術を取り込み海外需要を創出する競争と、ベストプラクティスの共有といった形での都市間協調が行われたならば、それはこれまでの大企業の分工場を巨額の補助金を使って誘致合戦するようなゼロサムゲ

ームのレッドオーシャン市場における消耗戦ではなく、それぞれの持続可能性や人々の幸福度の高い社会構築に結びつく地方の能力開発への投資となる可能性が高いのではないだろうか。

[参考文献]

・北九州市（2016）『北九州市国際政策推進大綱』
・佐賀県（2015）『佐賀県国際戦略』
・佐々木雅幸（2012）『創造都市への挑戦　産業と文化の息づく街へ』岩波書店
・野中郁次郎、竹内弘高（1996）『知識創造企業』東洋経済新報社
・広井良典、須藤一磨、福田幸二（2020）『AI×地方創生　データで読み解く地方の未来』東洋経済新報社
・藤原直樹（2018）『グローバル化時代の地方自治体産業政策』追手門学院大学出版会
・藤原直樹、梅村仁、井上智之（2017）「自治体国際戦略による地域経済活性化の可能性に関する研究」『日本計画行政学会関西支部年報』第 36 号、pp.I-1 〜 I-7
・藤原直樹、梅村仁、井上智之（2019）「自治体国際戦略による地域イノベーション創出の可能性に関する研究」『日本計画行政学会関西支部年報』第 38 号、pp.I-8 〜 I-13
・三重県（2018）『みえ国際展開に関する基本方針（改訂版）』
・横浜市（2016）『横浜市国際戦略』
・Florida, R. (2004), *The rise of the creative class: And how it's transforming work, leisure, community and everyday life*, Basic Books（井口典夫訳『クリエイティブ資本論──新たな経済階級の台頭』ダイヤモンド社、2008）
・Frenken, K., Van Oort, F., & Verburg, T. (2007), 'Related variety, unrelated variety and regional economic growth', *Regional studies*, 41(5), pp.685-697
・Porter, M. E. (1990), 'The competitive advantage of nations', *Harvard business review*, 68(2), pp.73-93（土岐坤ほか訳『国の競争優位（上・下）』ダイヤモンド社、1992）
・Yeung, H. W. C. (2016), *Strategic coupling: East Asian industrial transformation in the new global economy*, Cornell University Press

[注]

＊1　バリューチェーンとは、モノやサービスが付加価値を増していくプロセスである。商品企画、原材料加工、部品製造、組み立て、包装、パッケージといったそれぞれの活動を通じて、モノやサービスの付加価値は高められる。それぞれの段階は必ずしも 1 つの企業や地域が担うわけではなく、複数の企業あるいは地域によって分業されることがある。世界的なバリューチェーンに参画することで地場産業を高度化するような地域産業政策で、特に地域が戦略的に多国籍企業等と連携するようなものを「戦略的カップリング（Strategic Coupling）」（Yeung, 2016）という。

＊2　自治体国際戦略については、筆者が代表となる日本計画行政学会関西支部自治体国際戦略研究部会で検討してきた。本章のもととなる調査結果の詳細については、藤原ほか（2017）（2019）を参照されたい。

＊3　総務省は 2006 年 3 月 27 日付け自治行政局国際室長名で「地域における多文化共生推進プランについて」とする文書を各都道府県および指定都市あてに通知し、それぞれの自治体において多文化共生の推進にかかわる指針・計画を策定し、地域における多文化共生の推進を計画的かつ総合的に実施するよう要請している。本書における自治体国際戦略は、この総務省が推奨する多文化共生よりも、地域の国際化を地域経済活性化の観点から実利的に追求するものと捉えている。

＊4　何らかの国際化に特化した行政計画を策定している自治体についての調査である。自治体によってはまちづくりの基本的な理念や目標、方針などを定める基本構想である「総合計画」の中に国際化に関する方向性を記すものもあることから、実態として国際的な方針を定める自治体はここで示された割合以上であるといえる。

＊5　佐賀県産業労働部経営支援課（2017）「有田焼の海外販路開拓に係る佐賀県の取組みについて〜有田焼 再び世界へ！〜」『自治体国際化フォーラム』Vol. 338、pp.24 〜 25 に基づく。

＊6　「佐賀の祐徳稲荷、ロケ誘致効果でタイ人急増」『東洋経済 ONLINE』2017 年 1 月 12 日（https://toyokeizai.net/articles/-/152653、2019 年 3 月 2 日閲覧）

＊7　佐賀県プレスリリース「佐賀県フィルムコミッションの取り組みが評価され受賞しました」（2019 年 10 月 28 日）に基づく。https://www.pref.saga.lg.jp/kiji00371562/index.html（2020 年 7 月 25 日閲覧）

＊8　学生数については法務省告示（日本語学校在籍数、http://www.mext.go.jp/component/a_menu/education/detail/__icsFiles/afieldfile/2018/03/15/1402127_9.pdf）を参照し、その他、ヒューマンアカデミー日本語学校プレスリリース「ヒューマンアカデミー日本語学校佐賀校　佐賀県の協力を得て佐賀を紹介する動画を制作」2017 年 11 月 21 日（https://prtimes.jp/main/html/rd/p/000000521.000005089.html、2019 年 3 月 2 日閲覧）を参考にした。

＊9　企業等の会議、企業等の行う報奨・研修旅行、国際機関・団体・学会等が行う国際会議、展示会・見本市、イベントを指す。

＊10　神戸市プレスリリース「米国シリコンバレーオフィスの開設について 〜イノベーションの先進地との連携をさらに強化〜」（2019 年 4 月 24 日）に基づく。https://www.city.kobe.lg.jp/a57337/shise/press/press_back/2019/press_201904/20190424042301.html（2020 年 7 月 21 日閲覧）

＊11　詳細については、拙著（藤原、2018）第 6 章を参照されたい。

＊12　「ベトナム人向け日本語学校　鳥取市が開設支援」『日本海新聞』2017 年 9 月 8 日に基づく。

＊13　広井ほか（2020）p.11

第2章

大学を活用した国際化による
地域イノベーション
——オーストラリア・メルボルンと大分県別府市

2-1 │ 地域が海外と接続することについての理論的整理

　世界的な経済統合の進展と急速な技術変化により、地域開発政策もその地域において完結するというよりは、地域外や世界に開かれた枠組みを考慮する必要性が高まっている。久保（2018）は、地方圏の都市・地域がグローバルな都市間競争から取り残されているとし、これらの都市・地域の国際競争力向上にかかわる戦略の必要性を示している。また、浜口（2020）は、東京一極集中であらゆる情報が東京から発信されるようになった結果、共通知識の肥大化が日本社会の同質化を招き、知識の多様性の減少とイノベーション力の減退につながっている可能性があり、日本が多様性に富んだ地域によって支えられた空間構造に移行するために、それぞれの地域が他地域や外国と知識を頻繁に交流させるオープンネットワークを築く必要があると指摘する。

　知識社会における地域経済の発展には地域と地域外のアクター間の近接性や密度、地域化のプロセスが重要であるとされる（Uyarra, 2011）。地方都市は外からのインプットや移入による発展に期待しており、それゆえトップダウンの政策と資源活用、あるいは他の地域からの企業の移転、または資源や知識の流れを促し、地域のイノベーション能力を高めるための政策を実施す

るためのガバナンス構造を設ける必要がある（OECD, 2011）。その構造の中には空間を超えて新しく価値のある知識をつなげるネットワークである「グローバルパイプライン」（Bathelt, Malmberg and Maskell, 2004）や「ゲートキーパー」（Rychen and Zimmermann, 2008）の機能が必要とされる。グローバルパイプラインとは「地域間・国家間の戦略的なパートナーシップ」であり、ある地域と距離的に離れたもう1つの地域のアクターが、基本的には人と人との直接的な対面取引を通じて、境界を超えて意見交換を行い知識や情報の移転を行う機能である[*1]。次にゲートキーパーは2つの機能からなり、第1に域内外の資源の相互連結に貢献し、地域の企業等が外部の関係性から利益を得ることを支援するとともに、外部の企業等が地域の資源にアクセスする機会を設ける。第2に地域内の調整において地域のアクターを連結する中心的な役割を果たし、地域のそれぞれのアクターが相互に関係を維持するための取引コストを削減し、地域の技能と補完能力を流動化させ活動的にすることで、地域における企業ネットワークを活発にする[*2]。

　グローバルパイプラインやゲートキーパーとして地域と国外とを結ぶ主体については多国籍企業と考えられてきたが（Bartlett and Ghoshal, 1989）、このような企業の十分な集積がない地方においては、地域内の資源を地域外と接続するという関係資本を蓄積させるような長期的な不確実性の高い取り組みを実施できる仕組みの構築が必要となる。Leydesdorff and Deakin（2011）は、知識基盤経済における地域の新たな進化モデルとして政府、産業、大学からなるトリプルヘリックス（3重らせん）モデルを示し、地方政府の強いリーダーシップのもとで多文化イベントが知的資産や富の創造と市民社会の管理に新たな認識をもたらし、都市再生を実現していると指摘した。地方政府が直接的に国外とつながることは難しいかもしれないが、リーダーシップを発揮して地域が国外とつながるトリプルヘリックスを構築することができる可能性がある。

　次節では、上記のような研究の流れを踏まえた上で、今日のグローバル化、そして知識経済の進展に適応し、多様性と付加価値を生み出すことができる空間を地域においてつくり出す構造をどのようにすれば構築できるかについて、

オーストラリア・メルボルン都市圏と大分県別府市を事例に考察する。

2-2 | 海外との接続による多様性構築の地域事例

1 オーストラリア・メルボルン

◆ビクトリア州国際教育産業戦略

オーストラリアのメルボルンは、研究機関 Economist Intelligence Unit によって 2018 年まで 7 年間にわたり「最も住みやすい都市 (The Most Livable City)」ランキング第 1 位に選出された都市である。メルボルンはオーストラリア南部に位置するビクトリア州の州都であり、州のビジネス、行政、文化、レクリエーションの中心地である。市中心部の面積は 37.7km^2 で居住人口は約 17 万人 (2018) だが、市の中心部と郊外で構成されるグレーターメルボルン地域全体での面積は約 1 万 km^2 となり、人口は約 500 万人である[*3]。公用語は英語であるが、地域全体では 100 以上の言語が話されている[*4]。

2011 年からの 10 年間において、メルボルンのあるビクトリア州がオーストラリアの州レベルの行政区域の中で、移民を取り込むことにより最も人口を増加させている[*5]。過去 20 年間で約 100 万人の留学生がビクトリア州内の学校、職業教育訓練専修学校 (Technical and Further Education：TAFE) あるいは大学を卒業した。国際教育は 10 年以上にわたりビクトリア州の最大のサービス輸出産業であり、サービス総輸出額は 430 億オーストラリアドルを超え、2014 年には約 3 万人の雇用を地域で生み出している。ビクトリア州の留学生の入学者数は 2002 年から 2014 年の間に 2 倍以上になり、年間平均 8% の割合で増加し、オーストラリア全体の留学生の入学者の 29.8% を占める[*6]。

ビクトリア州政府は自らを教育州 (Education state) と位置づけ、国際教育産業を地域の特色ある産業として認識し、戦略的に同分野を発展させる取り組みを実施している。2016 年に州政府が策定した「国際教育産業戦略

図2・1　ビクトリア州国際教育産業戦略　表紙

(出典：Victoria State Government, 2016)

(International Education Sector Strategy、図2・1)」によれば、ビクトリア州は、地域の大学や教育機関、それを支援する行政、そして留学生向けの住宅を提供する企業をはじめとする関連企業群を「グローバル企業」と位置づける（Victoria's education system is a global enterprise）[7]。同州においては、質の高い教育サービスを提供して学生の満足度を向上させるとともに、地域の様々なセクターの協力を通じて、留学生という教育サービスへの外需を取り込むことで地域における雇用拡大を支援している。

　ビクトリア州の大学、研究拠点、職業教育訓練機関、英語学校は、海外の事業者と協力して、健康、生物医学、農業、食料安全保障、水管理、デジタル技術、ビジネス、高度なものづくり、輸送、都市デザイン、クリーンエネルギー、鉱業、クリエイティブ産業、観光、ホスピタリティ、教育など様々な分野で、顧客ニーズに合わせた教育訓練プログラムとサービスを設計し提供している。

　具体的な取り組みとして、州政府は国際教育を「優先産業」として指定し、2000万ドルの規模を有する未来産業基金から、国際教育産業を成長させるプロジェクトに資金を提供している。たとえば、州政府が行う「招聘プログラム」は、今後取引の可能性がある海外の事業者を呼び込む取り組みである。 2015年には27か国から590人を超える海外の事業者が同州を訪問している。「海外貿易使節団プログラム」では教育関連の420社を超える同州の企業が19か国35都市を訪問して、海外販路開拓を行う機会を得ている。事例としては、ラテンアメリカへの貿易使節団として約30名の州の国際教育産業関係者がブ

ラジル、チリ、コロンビア、ペルーを訪問し、現地の事業者と教育上の連携を構築し発展させる機会を見出している[8]。

　さらに、自治体として留学生が住みやすい環境整備につとめ、特に多文化共生に関して行政サービスの情報提供や様々な相談業務で多言語対応を実施し、ホームページや行政情報冊子の様々なところでマイノリティに配慮していることを示している。メルボルン市役所が提供する翻訳サービスでは、アラビア語、ギリシャ語、ヒンズー語、インドネシア語、イタリア語、韓国語、中国語（Mandarin）、広東語、スペイン語、トルコ語、ベトナム語、ソマリア語で、高齢者や障がい者へのサービス、ゴミ処理、家族や子ども向けサービスなどの相談に応じている[9]。

◆地域の大学による海外展開　——地域における最大の輸出企業としての大学
　ビクトリア州にある大学は積極的に海外へとアプローチ（Global reach）しているが、メルボルンでの現地インタビュー調査においてはメルボルン大学、モナッシュ大学、RMIT大学の3大学が海外へのアプローチを行っている主要な大学として言及され、特にモナッシュ大学は「ビクトリア州最大の輸出企業」と認識されている[10]。モナッシュ大学は1958年にメルボルンで設立された比較的新しい大学であるが、同国で最も評価の高い調査研究大学と認識される「グループ　オブ　エイト（Group of Eight）」の1つであり、同国で最大の大学である。2018年には約8万4000人の学生が在籍し、そのうち留学生が約2万7000人（33%）、オーストラリア外で学ぶ学生が約1万1000人（12%）となっている。マレーシアのクアラルンプールにキャンパスを立地しており、ここでは約8500人の学部生や大学院生、研究生が7つの学部で学ぶほか、中国の蘇州とインドのボンベイに協定校がある。学部別の学生数はビジネス・経済が約2万1000人、医療・看護・健康科学が約1万5000人、芸術と工学がそれぞれ8000人から9000人程度である[11]。マレーシア教育省の依頼に基づきクアラルンプールにキャンパスができたのは1998年であり、モナッシュ大学のオーストラリア外の最初のキャンパスで、マレーシアにおける最初の外

図2・2　メルボルン中心部にある RMIT 大学 （筆者撮影）

国大学として設立されている[12]。

　次に RMIT 大学は、1887 年にメルボルンの労働者に教育を提供することを目的として設立され、市内中心部にキャンパスを擁している（図2・2）。同大学は「世界で最もグローバル化された大学の1つ」として自らの大学を位置づけ、約 8 万 2000 人の学生のうち、15％がオーストラリアキャンパスに通う留学生であり、23％がベトナムを含むオーストラリア国外キャンパスにおける外国人学生である。ベトナム政府の依頼に基づき設立されたホーチミンとハノイの 2 つのキャンパスに 7400 人を超える学生が学ぶ。このほか、シンガポール、香港、中国本土、インドネシア、スリランカ、インド、ベルギー、ドイツ、オーストリア、オランダの 16 の連携した教育機関に通う約 1 万 1000 人の学生が登録されている[13]。

　RMIT 大学は 1992 年からベトナムにおいて工学、情報技術、通信、金融、電気分野の教育研究を展開していた。1998 年にベトナム政府は外国資本による大学の設立を RMIT 大学に要請し、2000 年に学部および大学院レベルの教育研究機関の設置を許可した。RMIT 大学は 2001 年にホーチミン市、2004 年にハノイ市に活動拠点を立地させた。同大学は「ツインハブ」をキーワードとしてメルボルンと海外キャンパスの両方での修学を選択できるプログラムを設けている。オーストラリアを拠点とする学生もベトナムでプロジェクトに取り組み、情報技術、食品技術、安全性、感染症と水管理などの多岐にわたる分野で研究が行われている[14]。

2　大分県および別府市の地域国際化

◆大学誘致による留学生の増加

　別府市は九州の北東部、瀬戸内海に面した大分県の東海岸のほぼ中央に位置する。市域は東西約13km、南北約14km、総面積は約125km^{2}である。市内に点在する温泉は日本一の湧出量と源泉数を誇る。国内外から年間900万人の観光客が訪れ、市の産業も旅館等の宿泊業、卸・小売業、サービス業、娯楽業等を中心とした観光関連産業が別府の経済を支える基幹産業となっている。別府市の人口は約12万人であり毎年700人程度人口減少傾向にある。人口は県内では大分市に次いで第2位であるが、市内には約3000人の留学生が居住している[15]。

　この多くの留学生が通学する立命館アジア太平洋大学（APU）は、大分県と別府市が協力して誘致し、2000年4月に開学したものである。当時、大分県では過疎問題の解消が急務とされ、定住人口の減少を食い止めると同時に交流人口の拡大も図ることができる方策として大学誘致が着目された。1993年度の大分県による国内の私立大学に対する進出意向調査をきっかけにして同大学と協議が進み、公私協力方式で設置が決定した。総事業費297億円に対して県は150億円の補助を、別府市は42億円の補助と大学用地（市有地約42ha）の無償譲渡などの協力を行った。このほか国内の経済界からも協力を得て40億円を超える規模の奨学金基金が創設された[16]。

◆大分県海外戦略と留学生の雇用・起業支援

　大分県では長期総合計画「安心・活力・発展プラン2005」に基づき、県の海外施策の方向性として、2011年に「大分県海外戦略」を策定し、2015年10月と2019年3月に改定してきた。この戦略は、「海外の成長を取り込みつつ共に発展する」という基本的理念のもと、「海外の活力を取り込む」「海外の人材を取り込む」「国際交流・国際貢献の推進」「国際人材の育成・活用」という4つの基本戦略からなる。

表 2・1　都道府県別大学・高専在籍留学生の状況 [17]

順位	都道府県名	留学生数（人）	総人口（万人）	人口比（人）10万人あたり
1	京都	8504	259.9	327.2
2	大分	3504	115.2	304.2
3	東京	3万6950	1372.4	269.2
4	群馬	4484	196.0	228.8
5	福岡	8197	510.7	160.5
	全国計	12万6393	1億2670.8	99.8

（出典：大分県（2019）p.24）

　特に、「海外の人材を取り込む」という観点では、留学生に対する各種支援や県民と留学生との交流促進により県内定着促進を図るとしている。具体的には、優秀な私費外国人留学生に対して奨学金を交付することにより、留学生の地域における交流活動を促進するとともに、奨学生には県についての理解を深め海外への情報発信等に寄与してもらう。留学生の賃貸物件の保証やリユース物品の紹介等の生活支援を行うとともに、留学生人材情報バンク（後述）の運用による地域貢献活動の支援や、留学生が講師となる料理教室や語学教室の開催により、留学生の地域活動を促進する。

　大分県は「人口あたり留学生数が全国トップクラス（表2・1）である県の優位性を生かし、グローバル人材である優秀な留学生の卒業後の県内定着を図るため、県内起業・就職の支援を行い、留学生の活躍による「地方創生」に繋げる」として、2016年11月、別府市にある国際交流施設「APU PLAZA OITA」の2階に「おおいた留学生ビジネスセンター」を開設した[18]。もともと同県は2015年からおおいたスタートアップ支援事業として3年で1500社の起業を目指し事業展開をしてきたが、留学生の集積を起業につなげるため、県の国際政策課が所管する留学生のビジネス支援に特化した組織を設けた。

　この施設は、個室3室とブース10席からなる企業支援室、交流スペース、セミナールーム、打ち合わせ室、厨房設備があり、NPO法人大学コンソーシアムおおいたが運営する。その事業内容としては、留学生、留学生OBおよび

留学生と協働して県内で新会社設立等を目指す個人や法人に対し4種類のサービスを提供しており、第1にインキュベーション・マネージャー等による起業支援、第2に行政書士等による入国許可証関係や、会社設立登記関係等についての定期相談会の開催、第3に海外ビジネス、起業等にかかる各種セミナー等の実施、第4に県内企業との交流（海外展開を図る県内企業と留学生との交流会の開催、スタディツアーや留学生就職ガイドブックの作成など）がある。

　特に、留学生が県の地域資源（観光、酒、農林水産加工品）を知り、収穫や酒造りなどの体験を通して将来の起業等に向けて実践的に学ぶ「おおいた留学生未来の社長塾」の実施や、留学生の採用等に門戸を開いた県内企業の情報や外国人材の具体的な活用事例を集めた「留学生就職ガイドブック」の作成・配布により、留学生の県内就職を促進している。また、「おおいた留学生人材情報バンク」は留学生に特化したマッチングサイトであり、1000名を超える県内留学生が登録している。通訳・翻訳・語学講師・ビジネスアシスタントなど留学生の能力を活用する仕事について県内企業と留学生をつなげる役割を果たす[19]。2019年7月の段階で、同センターには10の企業および起業準備者が入居し、その中ではタイやバングラディシュなどの留学生や留学生のOBがIT業、映像業、輸出入業、人材派遣業や、留学生による地域資源を活用した商品開発・販売、留学生のITエンジニア育成などでの起業を目指していた[20]。

　なお、大分県の留学生の実態として、県が2018年に県内留学生へアンケート調査を実施したところ、留学先に大分県を選んだ理由は54%が「今の所属大学に魅力があったから、学びたい学部があったから」、25%が「母国の高校や大学の推薦があったから」と回答し、卒業後については59%が「日本国内で就職したい」、16%が「母国以外、日本以外で進学または就職したい」、9%が「母国に帰って進学、または就職したい」と回答している。日本で就職したい理由は33%が「日本が好きなので、日本での生活を続けたい」、32%が「将来のキャリアのため、母国・他国で働く前のステップにするため」、日本で就職する際の勤務地について44%が「自分のやりたい仕事ができるなら、場所

はどこでもいい」、31％が「東京や大阪などの大都市に行きたい」と回答している[21]。

◆別府市による留学生の地域活動支援

　別府市は、市内の外国人数が約4400人、うち留学生数が約3300人（2019年5月末現在）であり、留学生の出身国数は92か国に及ぶ。アジア各地からの人材誘致を政策として打ち出していた大分県に合わせ、温泉を中心とする観光産業の斜陽化に悩んでいた別府市は、アジアの活力・成長力を取り入れたいと、APUの誘致に取り組んだ。新大学の立地を契機として「多文化共生」というキーワードのもと留学生、外国籍住民と大学、行政、市民をつなぐことが必要と考え、外国人市民と地域の人が交流し、それぞれの言語を学ぶ機会を増やすなど、「国際性」を市のアイデンティティーにしようと考えるようになった。

　市は当初、留学生個人に奨学金を給付していたが、留学生がもっとまちに出て、市民との国際交流をすることを促す方が双方にとって望ましいという考えのもと、2014年に「留学生の地域活動」を支援する別府市外国人留学生地域活動助成金制度を開始した。外国人留学生を主とする団体が市民との交流活動等を実施する場合に、その活動にかかる経費を助成するもので、別府のグローバル化のための様々な地域活動の支援を想定している。市内の大学に在学する学生3人以上の団体でかつ半分以上が外国人留学生の団体に対して、市内で実施する国際交流・国際協力・多文化共生を推進する地域活動を支援する。

　事例としては、地域の祭りへの屋台出店等の参加、多文化イベント、国際料理教室、国際理解教室、語学教室、絵本読み聞かせ、外国人のための生活ガイドや別府の情報発信用写真データ集作成などが対象となり、活動にかかる経費の75％を1回の申請に対し20万円を上限として助成する[22]。この取り組みを通じて、予算を立てて計画的にイベントを行い、地域住民と交流することで、日本の公的助成システムを実践的に理解でき、留学生の就職活動の際の自己PRにも役立つとも想定している[23]。

2-3 | 多様性と付加価値を生み出す構造

1 留学生に着目した戦略的な地域イノベーション

　本節においては、メルボルンと別府の取り組み調査をもとに、グローバル化そして知識経済の進展に適応し、多様性と付加価値を生み出すことができる空間を地域においてつくり出す構造をどのようにすれば構築できるかについて考察する。

　両地域は、都市の規模としては異なるがともに地域に中長期滞在する留学生を地域振興の資源と捉えて、その集積を促進するとともに能力を発揮できる場の創出に努めている。ビクトリア州政府は国際教育産業を地域の特色ある産業として戦略的に発展させるため、「国際教育産業戦略」という行政計画を策定している。地域の大学や学校等の教育産業や企業が連携して、世界で最も住みやすい環境で最高レベルの教育を提供できる地域としての国際的なブランドイメージを構築しているほか、州政府が大学等とともに使節団を組成し海外市場開拓を行っている。さらに、地域においても行政が多文化共生に配慮する姿勢を様々な機会において示すことで、留学生が住みやすい環境を整えている。

　大分県では、過疎問題の解消のため国内外の関係人口を増加させる装置として国際的な大学の必要性を認識し、別府市と連携して多くの行政資源を投入してその誘致に成功した。そして地域の留学生の増加を新たな地域資源と認識し、県の国際戦略のもと、その活用の取り組みを進めるとともに、市や大学など地域のアクターと連携して留学生が地域とかかわり、起業家精神を発揮しやすい環境整備を行っている。都市部に比べて留学生の雇用機会が少ない地方において、学生自らが起業して新しい仕事を創出することによる、社会経済的なイノベーションを促進させる戦略的な取り組みといえる。

2 グローバルパイプラインとゲートキーパー、トリプルヘリックス

　先行研究のグローバルパイプラインおよびゲートキーパーという視角から見

ると、オーストラリア・メルボルン都市圏を管轄するビクトリア州政府は、国際教育分野が成長力の高い産業クラスターであるとみなし、同産業を育成する政策的支援を行っている。州政府は自らが中心となって大学や教育関連企業からなる貿易使節団を組成することで、地域のアクターを連結して大学等による留学生獲得を支援するとともに、海外の事業者がビクトリア州を訪れ、州の国際教育産業関係者との連携を構築し発展させる機会を創出するゲートキーパーの役割を果たす。そして、モナッシュ大学など地域の公立大学が、外国政府と連携してサテライトキャンパスを国外に設置し国際的なプログラムを実施することにより、グローバルパイプラインとして国境を越えてその地域とメルボルン間をつなぎ、人と人との交流を促進させる役割を果たす。自治体と教育にかかわる大学等やそれを支援する企業の集積とその相互連携のネットワークは、地域全体を「グローバル企業」とみなせるトリプルヘリックスであり、著しく経済成長し中間層の厚みが増しているアジアに隣接するという地理的優位と機会を活かし、これらの国の高等および職業教育に関するニーズに対応できるように、州政府はその能力の高度化を図っている。

　次に大分県および別府市は、メルボルンにおけるモナッシュ大学のようにグローバルパイプラインの機能を果たす立命館アジア太平洋大学の誘致に成功した。そして、大学の近くで自分の能力をできるだけ活かした仕事を見つけたい留学生と、事業発展につながる人材を確保したい企業との間に情報の非対称性があるところを、留学生就職ガイドブックやおおいた留学生人材情報バンクの取り組みを通じて、留学生と地域の企業等とのマッチングを促進し、留学生と企業それぞれの情報探索の取引コストを削減している。また、起業に関心のある留学生に対して会社設立や経営に関する必要な知識を得る機会を提供することでその能力開発を支援し、地域で起業が行われることでより活動的な地域社会を生み出すゲートキーパーの役割を果たす。ここでは、行政（県、市役所）、大学やNPOが留学生の住みやすい環境を整えて起業を重層的に支援するトリプルヘリックスの体制を整えており、これは第1章3節で述べた自治体国際戦略としての「社会維持のための外国籍住民誘致」をさらに地域経済の観点か

ら発展させたものである。そこに集まる留学生が住みやすい多文化共生の環境を確保し、地域に愛着を持つ留学生の起業を促すことでソーシャルイノベーションを実現しようとしている。

2-4 | 留学生による多様性を地域産業振興に結びつけるには

　本章では、グローバル化や知識経済の進展に適応し、多様性と付加価値を生み出すことができる空間を地域においてつくり出す構造をどのようにすれば構築できるかについて、オーストラリア・メルボルン都市圏と大分県別府市を事例に考察してきた。

　オーストラリアのビクトリア州政府、そして大分県はそれぞれ「国際教育産業戦略」「大分県海外戦略」を策定して、地域が海外とつながることによる地域開発のビジョンを示すリーダーシップを発揮し、ゲートキーパーとして地域のアクターと連携して地域におけるネットワークを構築し、海外プロモーションや外国人が住みやすい多文化共生を進める取り組みを実施していた。また、それぞれの地域において大学がグローバルパイプラインとして地域と海外とをつなぐ役割を果たしていることが明らかになった。

　本章1節でも述べたように海外と接続することによる地域活性化を考えたとき、グローバルパイプラインとなりうるのは多国籍企業が想定され、そのような企業がない地域においては自治体自身がグローバルパイプラインになることが望ましいが、人的・財政的に利用可能な資源には限界がある。そこで今回、大分県で見たような、地域においてグローバルパイプラインとなる大学・企業などを戦略的に誘致するような取り組みは有効であろう。

　なお、本章における2都市の分析は国際教育を中心とした留学生に焦点をおいたものであったが、地域開発という点では外国籍住民の増加による多様性向上を産業政策に結びつける視点が求められるところである。ここで参考としたいのが、ドイツのエアランゲン市である。人口約10万人の同市は、2014年の1人あたりのGDPが7万7622ユーロと、ドイツの平均GDPを大きく

上回る大学町であり、2010年に実施された「知識社会化した都市の成長力ラ
ンキング」でベルリンなどの大都市を抜き1位になっている。市は自らを「医
療技術クラスター」として位置づけており、医療技術に特化した起業支援施設
「メディカル・バレー・センター」を市・州・民間が共同で2003年に立ち上げ、
100以上の医療分野の起業につなげている。市の人口の約15%が約140か国
を出自とする外国人であり、市には年間23万人を超えるビジネス・学術関係
の外国人訪問者がある。大学には125か国から学生が訪れ、市としても異文
化交流プログラムなど、外国から来た市民の社会統合政策を積極的に行ってい
る[24]。

　メルボルンでは大学を卒業した留学生がそのまま国際移民として地域に留ま
り専門職に就くなどして地域人材の厚みを増し、経済発展の原動力となってい
る[25]。別府市のような日本の地方都市において、留学生が卒業後ある程度は
都市部に流出することはやむをえないが、地域において国際的な産業政策を推
進することで国際ビジネスを中心に留学生が活躍できる場を創出して、さらに
地場産業が発展するような、よりよい経済循環を生み出せることが望ましい。
別府市では2020年1月、別府ツーリズムバレー構想がとりまとめられた。そ
こで市は「儲かる別府」の実現を図っていくために観光ビジネスにイノベーシ
ョンを起こし続け、別府（温泉）全体をキャンパスにした学び・実践の場を創
出し、別府の観光産業を最前線で支えている事業者等のさらなる経営力の向上
や、将来の別府を支える人財の育成を図るとしている[26]。このような地方都
市における国際的な産業政策の可能性について、次の第3章では佐賀県唐津
市の事例をもとに検討したい。

[参考文献]

・大分県（2010）『大学誘致に伴う波及効果の検証～立命館アジア太平洋大学（APU）開学10周年を迎えて～』
・大分県（2019）『大分県海外戦略（2019～2021）』
・大分県、おおいた留学生ビジネスセンター（2019）『留学生就職ガイドブック2019』（http://www.ucon-oita.jp/
　pdf/service_report_job-guide19.pdf、2020年8月5日閲覧）
・久保隆行（2018）『都市・地域のグローバル競争戦略　日本各地の国際競争力を評価し競争戦略を構想するため
　に』時事通信社

・自治体国際化協会シドニー事務所（2018）「メルボルンにおけるコンパクトシティ政策について」『CLAIR REPORT』No.462（June 5, 2018）、自治体国際化協会
・高松平藏（2016）『ドイツの地方都市はなぜクリエイティブなのか　質を高めるメカニズム』学芸出版社
・中村剛治郎（2004）『地域政治経済学』有斐閣
・浜口伸明（2020）「人口減少下の都市システムと地域経済の安定的発展に向けた課題」矢野誠編『第4次産業革命と日本経済』東京大学出版会、pp.65～85
・福岡アジア都市研究所（2019）『「第3極」の都市 2019』
・藤原直樹（2020）「国際教育産業クラスターと自治体による政策的支援」『追手門学院大学地域創造学部紀要』第5号、pp.157～171
・別府ツーリズムバレー構想推進協議会（2020）『別府ツーリズムバレー構想』
・水上徹男（2000）「ポスト・サバーブに関する一考察」『社会学評論』第51巻第2号、pp.251～263
・Bartlett, C. A. and Ghoshal, S. (1989), *Managing Across Borders: The Transnational Solution*, Boston, MA, Harvard Business School Press
・Bathelt, H., Malmberg, A. and Maskell, P. (2004), 'Clusters and knowledge: local buzz, global pipelines and the process of knowledge creation', *Progress in human geography*, 28(1), pp.31-56
・Leydesdorff, L. and Deakin, M. (2011), 'The Triple-Helix Model of Smart Cities: A Neo-Evolutionary Perspective', *Journal of Urban Technology*, 18(2), pp.53-63
・OECD (2011), 'Regions and Innovation Policy', *OECD Reviews of Regional Innovation*, OECD Publishing, Paris
・OECD (2012), 'Compact City Policies: A Comparative Assessment', *OECD Green Growth Studies*, OECD Publishing, Paris, https://doi.org/10.1787/9789264167865-en
・Rychen, F. and Zimmermann, J. B. (2008), 'Clusters in the global knowledge-based economy: knowledge gatekeepers and temporary proximity', *Regional studies*, 42(6), pp.767-776
・Uyarra, E. (2011), 'Regional innovation systems revisited: Networks, institutions, policy and complexity', *The Role of Regions*, pp.169-194
・Victoria State Government (2016), *International Education Sector Strategy*

［注］

＊1　Bathelt et al. (2004), pp.38-40
＊2　Rychen and Zimmermann (2008), pp.767-771
＊3　水上（2000）は、メルボルンにおいてコンパクト・シティが都市政策の主要課題となっているが、政府の計画に反して広範な外延化が進行していると指摘している。それが、OECD（2012）では「コンパクトシティ政策：世界5都市のケーススタディと国際比較」において、メルボルン、バンクーバー、パリ、富山、ポートランドの5都市がコンパクトシティ政策における世界の先進都市として取り上げられており、2000年から10年程度で急速な人口の集中があったことが想定される。メルボルンの都市計画の推移については自治体国際化協会シドニー事務所（2018）が参考になる。
＊4　メルボルン市役所ウェブサイトに基づく。https://www.melbourne.vic.gov.au/about-melbourne/melbourne-profile/pages/facts-about-melbourne.aspx（2019年10月18日閲覧）
＊5　メルボルンを含むビクトリア州の人口が他のオーストラリアの州と比べて増加している要因などは藤原（2020）を参照されたい。
＊6　Victoria State Government（2016）pp.6～8に基づく。
＊7　前掲書 p.5 に基づく。
＊8　前掲書 p.8 に基づく。
＊9　メルボルン市役所ウェブサイトに基づく（https://www.melbourne.vic.gov.au/community/health-support-

services/multicultural-services/Pages/translation-services.aspx、2019 年 12 月 26 日閲覧）。このほか、行政が発行する冊子や公務員が発信するメールの文末にも先住民族に配慮していることを示す定型文が記載されている。

＊ 10　筆者が 2019 年 2 月に現地を訪問して行政機関や大学等にインタビューを行った際に様々な関係者から同じコメントを受けた。

＊ 11　モナッシュ大学ウェブサイトに基づく。https://www.monash.edu/about/our-locations（2019 年 10 月 20 日閲覧）

＊ 12　モナッシュ大学ウェブサイトに基づく（https://www.monash.edu/about/who/history、2019 年 10 月 20 日閲覧）。なお、同大学の 2 番目のオーストラリア外キャンパスが 2001 年に南アフリカで開設されたが、2014 年より正規キャンパスの扱いから外されている。

＊ 13　RMIT 大学ウェブサイトに基づく。https://www.rmit.edu.au/about/our-education/global-outlook（2019 年 10 月 20 日閲覧）

＊ 14　RMIT 大学ウェブサイトに基づく。https://www.rmit.edu.au/about/our-locations-and-facilities/locations/overseas/vietnam/rmit-vietnam-background（2019 年 10 月 20 日閲覧）

＊ 15　別府市役所ウェブサイトに基づく。https://www.city.beppu.oita.jp/sisei/sinogaiyou/detail2.html（2020 年 12 月 13 日閲覧）

＊ 16　大分県（2010）pp.1 〜 2 に基づく。

＊ 17　専修学校（専門課程）・準備教育課程在籍者を除く。

＊ 18　大分県ウェブサイト「『おおいた留学生ビジネスセンター』について」に基づく。https://www.pref.oita.jp/soshiki/10140/oibc.html（2020 年 10 月 4 日閲覧）

＊ 19　大分県・おおいた留学生ビジネスセンター（2019）p.45 に基づく。

＊ 20　おおいた留学生ビジネスセンター提供資料に基づく。

＊ 21　大分県・おおいた留学生ビジネスセンター（2019）pp.38 〜 41 に基づく。

＊ 22　別府市ウェブサイト「外国人留学生の地域活動にかかる経費の助成」に基づく。https://www.city.beppu.oita.jp/gakusyuu/bunkakatudou/detail3.html（2020 年 8 月 15 日閲覧）

＊ 23　別府市文化国際課提供資料に基づく。なお、2017 年度の別府市外国人留学生地域活動助成金は全 10 件を対象として、143 万円が支出されている。また、留学生の住みやすさを高める取り組みとして、ムスリムフレンドリーマップという市内においてハラール食が入手できるレストランや食料店を掲載した地図が作成されているほか、留学生は市内バス乗り放題となる大分交通や亀の井バスの定期券を持って広く市内に居住している。

＊ 24　ドイツ・エアランゲン市に関する記述は高松平藏（2016）に基づく。

＊ 25　特にメルボルンにおいて強調されるのは「住みやすいまち」という視点である。中村（2004）は、米国オレゴン州ポートランドを取り上げ、ハイレベルの生活の質を持つ住みよい都市という突出した地域イメージが、若い知識労働の担い手たちの関心を呼び、起業を活発にし、知識経済の発展を刺激する場的特性を創り出し、ニューヨークやロンドン、東京などの巨大都市とは異なるサステイナブルな中規模都市圏のモデルという評価を世界から獲得し発展していると指摘した。福岡アジア都市研究所（2019）は、メルボルンを「人口が過度に集中することなく、コンパクトな都市構造を維持しながら、『生活の質』において高い評価を受けるグローバル都市」として「第 3 極」の都市と位置づけ、福岡市、シアトル、バンクーバー、ヘルシンキ、バルセロナなどと比較している。グローバル化が進む知識社会での、このような中規模都市のポテンシャルや都市政策のあり方については今後の研究課題と考えている。

＊ 26　別府ツーリズムバレー構想推進協議会（2020）pp.8 〜 11 に基づく。

第3章

地方からの国際産業クラスター展開
——佐賀県唐津市

3-1 | 唐津市の化粧品クラスター戦略

1 唐津市の概要

　唐津市は佐賀県北西部にあって、市域は東西約36km、南北約30km、総面積約487km² で佐賀県全体の約20％を占める人口約12万人の都市である。市の東部は福岡県糸島市、佐賀市、南部は多久市、武雄市、伊万里市、西部は玄海町、北部は玄界灘に面しており、古代には末盧国と言われ大陸との交流により栄えた歴史を有する（図3・1）。唐津市の産業規模（域内総生産）は約3500億円であり、主な地場企業として売上約130億円規模の宮島醤油株式会社は、創業130年の老舗醤油メーカーで、近年ではレトルト食品なども手掛け、現社長は唐津商工会議所の会頭を務めている。海産物ではイカとサバが名産であり、農業面ではハウスみかんが出荷量日本一を誇るほか、佐賀牛の畜産やいちごのブランド「さがほのか」などがあり、JA唐津は約280億円の販売高である。

2 ジャパン・コスメティックセンターの役割と海外連携

　2013年、唐津市は、地域経済を成長させる産業として化粧品や健康食品な

図3・1　唐津市の位置
（唐津市ホームページなどを参考に作成）

ど美容・健康産業の集積促進を集中的に支援するため、佐賀県、玄海町、地元
企業等と連携し、同産業の振興と集積を促進する新たな組織としてジャパン・
コスメティックセンター（Japan Cosmetic Center：JCC）を設立した。JCC
は美容・健康産業分野で、地域資源を有効活用した新たな付加価値を創造し、
地域・国内のみならず広く世界の活性化に貢献するという理念のもと「美容分
野」「健康分野」「素材分野」「交流分野」を4つの柱とした「国際的コスメテ
ィッククラスター[*1]」を唐津において実現させ、クリーン、グリーン、ビュー
ティー、サステナブル、テクノロジーなどを社会経済活動のキーワードとして
取り組むとともに、社会的に持続可能な個人のライフスタイルを提案すること
を目指している。JCCは化粧品分野のビジネス環境を産学官の連携により整
備し、多様な人材の交流と技術の集積による地域資源を活かした経済活動の活
性化と、グローバル市場への展開を図る推進体制を構築することにより、唐津
市、玄海町を中心とした佐賀県、そして北部九州における化粧品産業の集積と
雇用の創出に寄与することをその設立目的としている[*2]。
　JCCの設立経過としては2012年ごろ、唐津市において特区申請なども想定
して国際的な地域産業振興のテーマを検討していたとき、自然由来化粧品にこ

だわるフランスのアルバン・ミュラー・インターナショナルのアルバン・ミュラー社長が、アジア進出の拠点と新原料を求めて来日していた。フランスには、パリ市から南西 90km のところにあるシャルトルを中心として半径 150km に化粧品の産業集積があり、「コスメティックバレー」とされている[*3]。

　ミュラー氏は、唐津にはアジア市場への輸出拠点となる唐津港などのインフラが整っている上、化粧品 OEM メーカーのトレミーなど化粧品関連企業も立地しており、「製造・検査・物流」の連携体制がすでに構築されていることに加えて、新原料を栽培できる広大な農地や薬用植物栽培研究所があることから、唐津に「日本版コスメティックバレー」設立の可能性があると考えた。後述する株式会社ブルームの山﨑信二社長は、このミュラー氏とつながりがあり、フランスの化粧品クラスターと同様なものを唐津において構築するアイディアを山﨑氏が唐津市役所の幹部に持ちかけたことがきっかけで、この取り組みが始まった（図3・2）[*4]。

　当初、唐津市として化粧品産業に注目した理由は 4 つあり、第 1 に、人の美と健康に寄与する持続性の高い産業であること、第 2 に検査認証機関の株式会社ブルームがコア企業として協業企業とミニクラスターを形成していること、第 3 に成長するアジア市場に対する北部九州の近接性と日本の高品質のイメージが海外展開において有利であること、第 4 に、第 1 次産業も含めてサプライチェーンのすそ野が広いことである[*5]。唐津における化粧品クラスターの発展支援の取り組みは、表3・1のように整理できる。JCC は地域の化粧品産業クラスターの規模を広げ、能力を高める役割を進めている。また、この地域においてプラットフォームとして関係企業を取りまとめ、人材を育成し、調査開発を行い、地域ショールームの機能を果たすとともに世界の化粧品クラスターとグローバルにつながることで、唐津のブランドイメージを高める事業を実施している。

　JCC では、地域の植物や自然物に由来する原材料を使って化粧品をつくる取り組みを早くから進めている。化粧品の原材料になる柑橘類は日本各地で収穫できることから、商品化にあたっては同じ素材を使っていても産地とストー

【2011 年度】

1 月	アルバン・ミュラー氏が唐津訪問、唐津への進出意向を示す

【2012 年度】

6 月	地元企業と唐津市がフランス現地視察
11 月	唐津市内でアルバン・ミュラー氏の講演会開催

【2013 年度】

4 月	フランス・コスメティックバレー協会と唐津市との協力連携協定締結
7 月	ジャパン・コスメティックセンター設立準備会設置（11 月までに 3 回の本会議、7 回のワーキングを開催）
9 月	唐津市役所に「コスメティック産業推進室」設置 佐賀県庁に「コスメティック戦略チーム」設置
10 月	佐賀県の古川知事とコスメティックバレー前会長のアルバン・ミュラー氏がフランス・シャルトル市で会談し、今後の交流連携について確認
11 月	（11 日）ジャパン・コスメティックセンター設立総会

【2014 年度】

6 月	駐日フランス大使クリスチャン・マセ閣下が唐津を訪問
9 月	パリで開催された展示会「COSMEETING PARIS」のコスメティックバレーブース内に会員企業とともに出展 在日フランス大使館経済部リスレー経済公使と企業振興部フルス参事官が唐津を訪問
11 月	コスメティックバレーのマーク・アントワヌ・ジャメ会長とジャン・リュック・アンセル事務局長が唐津を訪問
3 月	シャルトル市のコスメティックバレー事務局にて合同商談会を開催

【2015 年度】

4 月	（1 日）一般社団法人へ移行
6 月	（2 日）スペイン「Beauty Cluster Barcelona」と協力連携協定を締結
7 月	（8 日）イタリア「Polo Tecnologico della Cosmesi」と協力連携協定を締結
10 月	（16 日）フランス・コスメティックバレー協会と協力連携協定を締結

【2016 年度】

8 月	（5 日）台湾「Taiwan Beauty Valley」と協力連携協定を締結
1 月	（20 日）タイ王国「Thai Cosmetic Cluster」と協力連携協定を締結

【2019 年度】

11 月	（18 日）中国広州市「ICAP」と協力協定を締結

図 3・2　唐津化粧品クラスターの海外との交流経過

（出典：JCC ホームページ「法人概要」 http://jcc-k.com/frmAbout.aspx）

表 3・1　唐津における化粧品クラスター振興の取り組み

地域資源の開発と活用	・地域で産出される素材を活かした化粧品の事業化・商品化の実現 ・新たな化粧品原料素材の産地化、産学連携により競争力のある素材開発の実現
国際取引の拡大	・海外の化粧品クラスターとの提携を活かした輸出入、受託生産・販売の実現 ・原料および商品のアジア市場ビジネス展開の実現
立地環境整備	・化粧品に関する地域情報の発信と経済交流の機会創造 ・産学連携した化粧品の研究開発と企業支援体制の整備 ・化粧品関連分野の人材育成体制の整備
関連産業の集積	・国内外化粧品産業界から地域への立地・投資の実現

（JCC 提供資料をもとに筆者作成）

リー性を明確にしたコト消費を追求することが大切である。大手ブランドの化粧品に対して、JCC は安定した品質やオーガニック、ナチュラルといったところにこだわり、原材料の生産者を見せて安心を高める情報発信を行う。唐津には離島を中心に「椿」の自生・産地が広がり、椿油を搾油し化粧品原料として出荷する体制が整っている。また、素材の栽培から加工に至る工程で福祉と連携することにより障がい者の雇用を生むなど、化粧品産業の枠組みから社会的に新しい価値を生み出している。

　また、JCC は化粧品のイノベーションを目指す国際的なネットワーク「Global Cosmetic Cluster（GCC）」に参加している。GCC は 2016 年にフランスのパリで開催された、化粧品業界向けのイノベーションと問題解決に特化した国際展示会「コスメティック 360」で、フランスの化粧品クラスターであるコスメティックバレーのリーダーシップにより設立されたもので、世界 15 か国から 25 の団体が参画し、毎年国際展示会に合わせて集まっている。GCC は、世界中の化粧品クラスターとともに化粧品の優れた実践を共有して、地域の中小企業の利益のために交流し、共通のプロジェクトに取り組んでいる[6]。

3　ジャパン・コスメティックセンターの組織

　JCC は 170 以上の会員企業と 10 の大学、行政を含む 19 の支援機関で構成され（2019 年度）、その地域的内訳は県内企業が 4 割、関東の企業が 3 割で

あり、分野別では化粧品製造に直接関わる企業に加え、それを支える金融、企業サービス、人材育成といった分野の企業が半分を占める。主な会員企業として、株式会社ブルーム、株式会社トレミー、岩瀬コスファ株式会社、株式会社クレコス、東洋ビューティ株式会社、株式会社マンダム、株式会社アルビオン、株式会社アイスタイルなどがある（表3・2）。

　図3・3はJCCの組織図であるが、この組織が外部に開かれているシンボルとして、前述したフランスのコスメティックバレー2代目会長のアルバン・ミュラー氏を代表理事・会長に起用している。事務局は地元自治体からの出向者と民間出身の専門人材からなり、事務局長が唐津市からの出向者（2020年4月時点）、プロジェクトチームにはコーディネーターとして専門人材のほか、玄海町役場からの出向者も配置されており、化粧品産業支援政策を担当する佐賀県コスメティック構想推進室と連携して事業を進めている。JCCの運営にかかる費用は年間約1億円で、そのうち自治体の負担金は8400万円であり、15分の8を県、15分の5を市、15分の2を玄海町が分担している。

3-2 ｜ 唐津化粧品クラスターの構造

1　唐津化粧品クラスターのバリューチェーン

　唐津では、化粧品のバリューチェーンを意識した産業集積の高度化を進めており、長期的なビジョンのもと化粧品を一貫して生産・流通するのに必要な機能を様々な手段で誘致し整備してきた。バリューチェーンのそれぞれの段階に応じたプレイヤーを地域に呼び込み、化粧品の産業集積を進化させている。

　図3・4が示すように、化粧品ビジネスのバリューチェーンは、原料栽培・加工、製造、検査・認証、出荷・流通のプロセスからなる。最初の原料栽培とその加工では、市場のニーズに沿った原料の栽培や、効能成分の分析が行われ、それを一定以上の品質を保つ安定的な液体や固形物にどのようにして精製していくか、加工技術の開発も必要となる。次に、商品企画と製造の段階では、商

表 3・2　ジャパン・コスメティックセンターの主な会員企業

株式会社アイスタイル、アルデバラン株式会社、株式会社アルビオン、株式会社一番館、今村行政書士事務所、有限会社伊万里陶芸、岩瀬コスファ株式会社、税理士法人 M.T.A、唐津瓦斯株式会社、唐津信用金庫、唐津土建工業株式会社、肌美和株式会社、株式会社九州シグマ、株式会社九電工、キョーラク株式会社、農業生産法人グレイスファーム株式会社、株式会社クレコス、学校法人コア学園、株式会社佐賀銀行、株式会社佐賀広告センター、新日本製薬株式会社、ソフトバンク株式会社人材育成支援部、損害保険ジャパン日本興亜株式会社佐賀支店、合同会社田島柑橘園＆加工所、中央警備保障株式会社、東京海上日動火災保険株式会社佐賀支店唐津支社、株式会社東洋セラミックス、東洋ビューティ株式会社、株式会社トレミー、日産化学株式会社、久光製薬株式会社、株式会社ブルーム、学校法人前田文化学園、松浦通運株式会社、株式会社マンダム

（JCC 提供資料をもとに筆者作成）

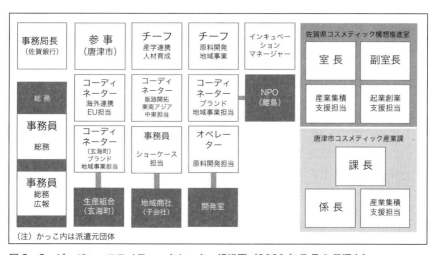

図 3・3　ジャパン・コスメティックセンター組織図（2020 年 7 月 1 日現在）
（JCC 提供資料をもとに筆者作成）

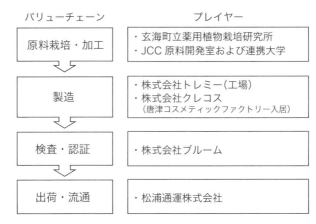

バリューチェーン	プレイヤー
原料栽培・加工	・玄海町立薬用植物栽培研究所 ・JCC原料開発室および連携大学
製造	・株式会社トレミー（工場） ・株式会社クレコス 　（唐津コスメティックファクトリー入居）
検査・認証	・株式会社ブルーム
出荷・流通	・松浦通運株式会社

図3・4 唐津化粧品クラスターにおけるバリューチェーン（筆者作成）

品コンセプトのもと形状やパッケージも含めた商品化と一定量の生産を行う。完成品は、日本で販売するための薬機法に定める必要な成分表示を行う検査・認証工程を経て、化粧品の卸売から小売へ商品が出荷され、市場に流通することになる。

　当初、唐津市には検査・認証機関にあたる株式会社ブルームが立地するのみで、その後、戦略的に薬用植物栽培研究所や佐賀大学との連携、製造企業の立地が進められてきた。次に唐津化粧品バリューチェーンの各段階におけるプレイヤーについて確認する。

2　玄海町立薬用植物栽培研究所

　玄海町立薬用植物栽培研究所は、2011年5月に設立され薬草等の原材料研究と栽培技術の開発を行っている（図3・5）。約1万8000m² の敷地内に薬用植物見本園（約100種）、薬木園（約50種）や薬用植物栽培温室棟、甘草栽培温室棟など11棟のハウスがある[7]。この取り組みは、地域振興と学術研究を両立させることを主旨としており、玄海町としては1次産業振興として農家が新しく高付加価値の薬用植物の契約栽培に取り組むことを勧めている。その背景には薬用植物の世界的に高まる需要と、国内消費のほとんどを輸入に依

図 3・5　玄海町立薬用植物栽培研究所 (筆者撮影)

存する現状がある。一定の品質を保ちながら安定して生産できる体制づくりを玄海町で確立するため日々研究が重ねられている。

　研究所の栽培研究は、玄海町が九州大学と交渉し、2008 年 3 月に両者間で締結した覚書をもとに始まった。甘草を中心とした薬用植物栽培を農家とともに官学連携で実施しており、現在では玄海町内の 2 万 4000m^2 の敷地で 13 名の農家が 7 種類の薬草栽培に従事している。農薬や除草剤、化学肥料を使わない高品質かつ安心安全な天然物の薬草栽培を特色とし、新たな町の振興事業として取り組みを続けている。

　JCC は薬草生産者と企業をつなげる取り組みを行っており、農家が栽培したものを定常的に購入してもらう販路開拓支援を実施し、唐津・玄海エリアの希少な地域産品がクラスター内で産地形成の一角を担うよう連携して活動している。

3　JCC 原料開発室

　佐賀大学農学部付属アグリ創生教育研究センター唐津キャンパス内にある JCC 原料開発室では、唐津由来の原料を使って化粧品をつくるという方向性のもと、化粧品原材料の開発・機能性分析を行っている。総務省から補助金を得て、水分だけがなくなった状態に加工できる凍結乾燥機などの機器を整備し、対象物から抽出したエキスや芳香蒸留水や精油のサンプルをつくるための基礎

的な加工ができる場所を整えている。JCC の会員になればこのような機能性分析の依頼を通常より安い会員価格で利用できるとともに、企業や生産者が単独で購入しづらい機器道具類を共有して使うことができる。

　もともと佐賀大学の農学部で地元の自然素材から有用性を発見する研究がなされており、健康福祉プロジェクトとして健康食品を中心とした分析が行われていた。唐津市では、2015 年度から 2018 年度の 4 年間、佐賀大学農学部に唐津産素材の有効性検証や機能性原料の開発などの研究委託を毎年 500 万円規模で行い、これにより特許案件も創出し、会員企業とのさらなる事業化段階に至っている。

　たとえば、みかんやグレープフルーツなどの皮の部分から香気成分を取り出す蒸留釜は、水蒸気から香りと成分を取り出すものであり、機械で圧力をかけて絞る手法に対して素材に少量含まれる精油分を安定して一定量取り出すことができる。素材分析では、たとえば外見が白い突然変異のイチゴを化粧品の素材にしようとするとき、これまで廃棄していた葉っぱや茎の成分を調べると果実と同様に効能成分があることがわかった。また、紫色の色落ちしている海苔は商品出荷基準を満たさないとして乾燥させずに捨てるが、それらの中にも効能成分があることを明らかにして活用するようなイノベーションが生まれている。

　また、この原料開発室を中心に佐賀大学や県立の工業技術センターとも連携しており、加工技術について佐賀大学の研究者にすぐに相談できる体制があるとともに、工業技術センターでは肌診断分析機器を購入して肌試験を行う体制を整えるなど、地域のアクターによる補完的で専門性の高い産業支援が行われている。

4　株式会社トレミーと株式会社クレコス（OEM 化粧品工場）

　唐津化粧品バリューチェーンにおける製造分野のプレイヤーとして、株式会社トレミーと株式会社クレコスを取り上げる。株式会社トレミーは、スキンケアの製品を中心とする化粧品の受託製造を行っている。2012 年、同社は東京

都府中市と埼玉県坂戸市にある工場を唐津に集約する形で新工場を設置した。唐津工場では、高性能なクリーンルームを完備し、Good Manufacturing Practice と呼ばれる化粧品の製造管理および品質管理に関する基準のもと、原料の受け入れから出荷まで一貫して行っている。同社は唐津に工場を置く理由として、アジア市場への近接性があること、天然資源や広大な農地が豊富であること、工場敷地内にある化粧品検査会社や保税区を自社倉庫内に有する運送会社（後述）と連携しアジア地域への輸送を短納期で行えること、JCC の設立メンバーとして化粧品原料の開発による農林水産業の活性化や、グローバル展開支援などを推進していることを挙げている[*8]。

　次に株式会社クレコスは 1994 年に奈良県でスタートした国際オーガニック化粧品メーカーである。自然の恵みをまっすぐ肌に届けたいという思いから、創業時より地域生産者との関係性を大事にしたものづくりを行っている。具体的には、自然農や有機栽培を行う生産者とのパートナーシップや福祉事業所と連携した障がい者雇用と自立支援、森林保護を目的とした間伐材の利用、耕作放棄地の再生などの取り組みがある。このような社会事業と営利事業が一体化した、次世代に利益をつなげるサステナブルな取り組みを同社では「クオンプロダクツファーム」事業と呼んでいる。クオンという言葉はクレコスの化粧品「QUON」のブランドネームにも使用されており、日本語の「久遠」から名づけている。

　クレコスと唐津との接点は、JCC が行った地元高校生による化粧品開発企画に同社が関わったことから始まる。さがんルビー® といわれる地元産のグレープフルーツを使ったリップクリームをクラウドファンディングで商品化するプロジェクトであった。その後、同社は JCC と連携を進め、2018 年 11 月に唐津市により整備された化粧品レンタル工場「唐津コスメティックファクトリー」に入居することになった（図3・6）。このクレコス工場には 4 人の正社員と 10 名弱のパートタイム職員が配置されていて、農産物の原料化から製品化までを一括して行うことができる。このレンタル工場は、ペットボトルのリサイクルセンターを市のコスメティック産業課が国の地方創生拠点整備交付金を

図3・6　唐津コスメティックファクトリー（レンタル工場）（筆者撮影）

活用してリノベーションしたものであり、同社は延べ床面積 700m^2 のこの施設で地域の方々と協力して DIY を行い OEM 工場を完成させた。

5　株式会社ブルーム

　唐津化粧品バリューチェーンでボトルネックの役割を果たす株式会社ブルームは 1991 年に唐津市で設立された化粧品輸入代行、品質管理、成分分析受託を事業とする企業である（図3・7）。2004 年 1 月に厚生労働大臣の指定を受けて試験検査機関として成分分析を受託できるようになり、輸入通関実務と品質管理・物流のすべてを受託するワンストップサービスを進めている。同社は唐津化粧品クラスターの中心となって産業集積の高度化に関わってきた企業であり、検査・認証機関として化粧品を日本において販売する際の法的な基準を確認する機能を有している。同社は島津製作所の最新型検査機器を導入し、法律で定められている化粧品の成分約 100 項目を理化学分析することができる。

　日本において化粧品の製造・販売には薬機法の規制があり、その規制は世界的水準から見ると特殊なものであるため、外資系企業が日本の化粧品市場に参入する際には、日本独自の基準を満たす必要がある。そこで同社は成分分析の技術を活かして、たとえばフランスのエルメスなどによる外資系化粧品会社の

図 3・7　株式会社ブルーム本社外観
（出典：株式会社ブルームホームページ「会社案内」　https://www.bloom-jp.com/company）

日本参入を支援している。販売可能な化粧品の基準は国によってルールが異な
るが、同社では日本で使用可能な成分の化粧品をスピーディに輸入できるとと
もに、海外市場の基準に合う日本製化粧品の海外展開も支援する。

　同社はパーソナルケアプロダクツコントロールというアメリカの化粧品関係
団体の会員になり、海外団体から化粧品の機能分析に関する最新の情報を入手
できることを強みとしており、輸入等の実務において成分分析の判断根拠を問
われたときにアメリカの基準に沿っていると説明できる。このような外国の情
報や基準をもとに国内の関係者に説明していくプロセスを通じて同社は業務を
拡大してきた。こういった、まず外国とつながることで日本におけるビジネス
基盤を強化する戦略が、唐津化粧品クラスターの発展にも当てはまると考えら
れる[9]。

6　松浦通運株式会社

　唐津化粧品バリューチェーンで出荷・流通の機能を果たす松浦通運株式会社
は、唐津市内に本社を置く年商 50 億円、総従業員数約 260 名の物流企業である。
株式会社ブルームとともに唐津で化粧品事業を早期から進めてきた JCC の主
要メンバーであり、JCC で取り扱う化粧品の一部を扱っている。同社は唐津
市内に保税蔵置場を有しており、博多港や福岡空港に到着した貨物を 1 時間

ほどで唐津市内に搬送し、倉庫内の保税蔵置場で通関業務を行い、同倉庫内で流通加工や保管・出荷まで行うことができる。

　福岡は韓国と近く、ハブ港である釜山から毎日フェリー便で、あるいは仁川経由で福岡空港に貨物が入ってくる。人件費が異なるため佐賀では福岡より安価で貨物処理ができる。一方で、海外から輸入した化粧品を日本国内の最大消費地である関東地方に配送する際に、唐津からの翌日搬送は難しく少なくとも中1日が必要となるが、生鮮食料品と異なり化粧品はそこまで迅速性が求められないため、商品の配送に時間がかかることはそれほどビジネス上で不利に働かない。

　同社は約20年前にブルームの山﨑社長と一緒に化粧品の取り扱いを始め、ブルームとの連携を効果的に行うため現在の場所より離れたところにあった拠点を移し、一体となって規模を大きくしてきた。唐津市の事務所は当初パート社員10名でスタートしたが、2020年には25名まで拡大し、売り上げは増加している。海外ブランド品の香水の取り扱いが増えており、韓流コスメがブームの時は現在の倍以上にパート社員を増やしたこともある。近年は、フランスやイタリアとの取引が広がっている[10]。

3-3 ｜ 地方都市の国際産業戦略としての唐津モデル

　これまで述べてきたように唐津市は、地域経済活性化の観点から化粧品産業に注目し、地元産の原材料を化粧品に活用することに立脚しつつ、当初から海外化粧品クラスターと連携して、世界市場を意識したジャパン・コスメティックセンターという産業支援機関を設立し、化粧品産業のバリューチェーンを意識した産業集積の高度化を支援してきた。その特徴は次の5点に集約できる。

　第1に、Born Global なクラスター支援計画である。Born Global というのは国際経営学や多国籍企業論などで用いられる概念で、企業の設立当初から国外を見据えて、国外展開を前提として組織や商品・サービスを展開することをいう[11]。この点で唐津における産業支援の取り組みは日本の多くの地方都市

で見かけられるような大企業の工場誘致に頼るものではなく、取り組みの最初から海外と直接接続することにより、化粧品の規制やトレンドに関する情報収集と中小企業の海外展開ができることを想定して、化粧品クラスターとしての地域の能力開発を追求している。

　すなわち、地方都市から立ち上げているにもかかわらず、ジャパン・コスメティックセンターとして、設立当初から日本を代表することを意識したビジョンを描いて産業支援を進め、海外の化粧品クラスターと情報交換して事業連携し、海外のプレイヤーに向け「日本における化粧品ビジネスの窓口」としてのJCC の存在感を高めることにより、地域ブランドを高めようとしている。

　JCC では世界の化粧品クラスターのトップがあつまる国際見本市「コスメティック 360」へ継続的に参加することで、同業界に関する最先端の情報収集を行うとともに、世界の化粧品業界関係者内での認知度向上を図っている。まずJCC および地域としてのブランドを海外において高め、海外の事業者が、日本において化粧品ビジネスを行うのであれば、まずJCC に相談するという行動を促す。これにより、国内においても化粧品クラスターとしての唐津地域のブランドを高めようとするものである。

　第 2 に、外国人トップ起用による「国際・オープン」なイメージの発信である。自治体が特別な目的の事業遂行のために外郭団体などを設立する場合は多くあるが、おおむねそのトップマネジメントとなるのは行政の幹部や地元経済団体の関係者などが多く、外国人ビジネスパーソンが代表につくのは極めて異例である。他の自治体においても、輸出支援の官民連携プラットフォームの構築は見られるが、行政や地元銀行、商工会議所など地域のアクターのみで担われている場合が多い。このような大胆な外部人材の活用が、海外のパートナーからの信頼性を高め、その後の海外連携の発展につながっている。唐津モデルでは、最初から海外を目指し、ガバナンスの観点からも、その多様性を受け入れる文化を率先して示しているといえる。

　第 3 に、広域的な行政連携である。JCC の機構図を見れば明らかであるが、唐津市役所が中心となった取り組みであるものの、隣接する玄海町の町立薬用

植物栽培研究所と行政区域を超えた役割分担を行っており、事務局でも両自治体の出向職員が同じ場所で働いている。さらに、県庁のコスメティック構想推進室との連携のほか、経済産業省の支援する取り組みなど、重層的にそれぞれの行政機関が連携して唐津化粧品クラスターの取り組みに関与しているといえる。

　第4に、九州北部の地理の活用である。唐津は、古代より末盧国として朝鮮半島はじめ大陸との窓口であった。そこで、国際的なハブ港である釜山港との距離的な近さを活かして東アジア・東南アジアの戦略拠点としての地域ブランド構築を進めている。すなわち、アジア市場に距離のある欧州企業が日本製化粧品の生産・加工拠点として、また保税区での積み替え（小口化・パッケージ加工）拠点として活用することを求めるものである。

　なお、これまでのオーディオ・ビジュアル関係の電子機器生産により、日本製という言葉は高品質のイメージがある。このような国際的なメイド・イン・ジャパンのブランドイメージを、参入した国際市場において戦略的に活用している。JCCと名乗ることで、日本のものづくりの高品質イメージが、製造・販売する化粧品と化粧品クラスター形成に取り組む唐津地域にポジティブなイメージをもたらしており、特にアジア地域において日本製化粧品の産業集積があるというイメージは訴求力が高い。その結果、欧州の化粧品クラスターと連携している日本のクラスターとして、図3・2でも示されるようにタイや台湾、中国の化粧品クラスターと個別連携の機会が広がっている。さらに、日本国内市場を見たときでも、化粧品の製品特質として鮮度が食料品ほど強く求められるものではないため、都市部と比べた土地代や賃金の安さ、原材料の高品質さを訴求できる、地方でも十分に競争力を有する産業分野であるといえる。

　第5に、地元自治体による積極的な産業政策である。現地に進出した化粧品企業へのインタビューによれば、行政サイドに少しでも化粧品産業に関する知識や経験があることは化粧品事業を展開する上で大きいという話があった。化粧品は医薬品と近く、人体に直接接する化学薬品を生産していることから安全性が高く求められ、その点で安心・安全な消費生活を確保しようとする行政

との関係性は深くなる。

　さらには、自治体がクラスターにおける戦略的なバリューチェーン構築を進めており、大局的な視点から化粧品クラスター構築に必要な機能（企業）を捉え、化粧品に特化したレンタル工場を整備するといったインセンティブにより、プレイヤーである企業の集積を促進している。

3-4 ｜ 唐津モデルの可能性

　「日本で最も化粧品ビジネスをしやすいまち」というポジショニングを強く打ち出す唐津では、2019年3月に東和化粧品が国内外に向けた化粧品の生産拠点として唐津市内に自社工場を建設することを発表し、市との間で進出協定を締結した[*12]。JCCとクラスター連携している中国や台湾の企業も立地の関心を示すなど、さらに集積が高まる兆しを見せている。JCCの海外とつながることによる地域ブランド構築やバリューチェーン強化は、地域産品のプロダクトイノベーションであるとともに、新しい地域産業システムを構築するイノベーションである。

　今後、アジア経済が発展する中、新型コロナウイルスの影響や購買行動の変化により中国をはじめ外国人観光客による化粧品の大量購入は縮小したとしても、個人輸入と越境エレクトロニックコマースは拡大する可能性がある。その中で唐津は国内外を接続する化粧品クラスターとして、アジアを含めた海外にメイド・イン・ジャパンの化粧品を輸出し、海外から化粧品を輸入する社会的および地理的ゲートキーパーのポジションを戦略的に構築している。

　このように唐津モデルは、人口100万人以上の大都市や県庁所在地に比して企業集積や情報へのアクセス、利用可能な政策資源（職員数、財政力）において不利だと想定される10万人規模の自治体においても、コアとなる企業や大学と連携してプラットフォームを構築し、海外との関係性を資本として地域の競争力を高めることで、経済的にも社会的にもイノベーションを創出することができる可能性を示唆している。

謝辞：本章の執筆にあたって、JCC の八島大三参事、株式会社 Karatsu Style の藤岡継美代表取締役には様々なご支援をいただいた。ここに厚く感謝申し上げる。なお、本文作成にあたっては事実確認に細心の注意を払っているが、誤りがあった場合には筆者の責任であることを申し添える。

［注］

* 1　ここにおける「クラスター」とは産業集積を意味し、ある産業分野の企業や支援機関、大学などが一定区域内に集中して立地していることを示す概念である。
* 2　一般社団法人ジャパン・コスメティックセンターウェブサイトに基づく。https://www.jcc-k.com/（2020年8月26日閲覧）
* 3　フランスのコスメティックバレーは米国シリコンバレーを参考に推進された、企業と大学と行政の産学官連携による国家的プロジェクトである。
* 4　阿部郁雄（2020）「社会課題の解決に取り組む団体の事例をもとにしたマーケティングの視点からの考察(2)」『高千穂論叢』54巻3号、p.357、および筆者によるJCCおよび株式会社ブルームへのインタビュー調査に基づく。
* 5　筆者が2019年7月31日に行った一般社団法人ジャパン・コスメティックセンターへのインタビュー調査に基づく。
* 6　Global Cosmetic Cluster ウェブサイトに基づく。https://cosmeticsclusters.com/（2020年8月26日閲覧）
* 7　このような薬草研究を行っているところとして、医薬基盤研究所のほか、九州大学、長崎大学、佐賀大学、千葉大学がある。山梨県には甲州市に薬草学術研究の拠点があり、薬科系大学にもこのような研究所があるところがある。
* 8　株式会社トレミーウェブサイトに基づく。https://www.toremy.co.jp/manufacture/（2020年8月26日閲覧）
* 9　本節の内容は株式会社ブルームウェブサイト（https://www.bloom-jp.com/company/、2020年8月26日閲覧）および筆者が2020年3月11日に行った同社へのインタビュー調査に基づく。
* 10　筆者が2020年3月11日に行った松浦通運株式会社へのインタビュー調査に基づく。
* 11　Born Global について英語文献であるが、Rennie, M. W. (1993), 'Born global', *The McKinsey Quarterly*, 4, pp.45-52、あるいは Knight, G. A. & Cavusgil, S. T. (2004), 'Innovation, organizational capabilities, and the born-global firm', *Journal of international business studies*, 35(2), pp.124-141 を参照されたい。
* 12　東和化粧品株式会社ウェブサイトに基づく。https://towacosme.jp/news.html（2020年7月13日閲覧）

第2部

農産物の輸出におけるリスク対策と需要への対応

佐藤敦信

第4章
制度の変化とリスク対策

4-1 日本産農産物の輸出を取り巻く環境

　日本の農業分野では、品目や地域において差が見られるものの、これまで国内需要だけではなく海外需要も視野に入れて販路拡大戦略を講じることが求められてきた。これには、少子高齢化などにより将来的に予測される日本国内市場のさらなる縮小と、アジアなどの一部の国と地域で高所得者層が増加していると推測されることが背景として挙げられる。

　2003年に農林水産ニッポンブランド輸出促進都道府県協議会が発足し、日本農政が守りから日本産農産物の輸出を推進する攻めへとその姿勢を転換させて以降、日本産農産物の輸出を取り巻く環境は大きく変化してきた。たとえば、2006年には、りんごや梨、桃などの輸出先として大きなシェアを占めていた台湾で、これらの品目に関する輸入検疫基準が改定され輸出用品質管理システムの構築が求められた。このことにより、日本国内産地においては国内販売用と同様の取り組みでは輸出の継続が難しくなったと言える。その一方で、台湾では米国など日本の競争相手国の産品が輸入検疫で不合格になる事例の発生によって、各年の国別輸入量および金額が大きく変化してきた。一部の日本産農産物には、2009年まで病害虫の検出による不合格事例が少なかったことで、

輸出を伸ばしてきた背景がある[1]。しかし、2010年に発生した台湾の輸入検疫における特定病害虫検出問題、および2011年に発生した東日本大震災とそれに伴う福島第一原子力発電所事故（以下、原発事故問題と表記）によって、日本産農産物を輸出している産地は新たな制度的対応を迫られた[2]。なお、特定病害虫検出問題と原発事故問題を合わせて「両問題」と表記する。

　農政転換以降に輸出額が増加してきたことと[3]、輸出先における高所得者層などへの様々な等階級品の供給という意義を有してきたことから、日本国内の産地組織にとっての販路の拡大という点で、輸出継続のための対応策を講じることは重要になる。そして、両問題は、日本産農産物の輸出において各産地に共通した不可避の課題となったと位置づけられる。両問題が発生したことにより、日本国内産地では輸出に伴う植物検疫に関する取り組みが変化し、さらには放射性物質の検査も求められるようになった。言うまでもなく、これらの検査で不合格になれば、その産地だけではなく、場合によっては日本のすべての産地が輸出できなくなる可能性も考えられる。そのため、日本国内産地では、規格や品種などで輸出先における現地産や他国産との差別化を図るといった戦略の他にも、植物検疫制度などに対応する取り組みなども求められている。両問題を経て、日本国内産地では、輸出にあたって取り組むべき内容がさらに増加したと考えられる。

　本章では、日本産桃を事例として、両問題を中心に台湾への輸出に関する制度変化を踏まえた上で、その変化が輸出を継続する日本国内産地の取り組みにどのように影響したのかを明らかにする。特定病害虫検出問題と原発事故問題の、双方の発生要因は異なる。さらに前者は植物検疫、後者は放射性物質の検査というように、農産物を輸出するにあたって経るべき検査と検査対象も異なっている。しかし、問題の発生により、産地を跨いで広範囲に食品衛生面の規制が影響したという点で共通した課題と言える。そして、それぞれの問題に対して農協などの各産地組織は単独ではなく、地方自治体と連携することによって輸出継続を図っている[4]。それまで、とりわけ台湾への輸出においては食品衛生に関する問題がほとんど発生していなかったことを鑑みれば、輸出継続を

図る取り組みは、他産地との差別化戦略とは別個に検討しなければならない問題であると考える。また、桃を事例とするのは、輸出品目が多岐にわたっている中で、両問題の対象となった品目であり、かつ日本産果実の中では、りんご、ぶどう、いちごに次いで輸出額が多いため輸出継続を図るべき重要品目と位置づけることができるからである。

　本章では以下の構成から課題に接近したい。まず2節において日本の桃の生産、輸出および台湾における輸入の現状について整理する。3節では、特定病害虫検出問題と原発事故問題の発生に伴い台湾政府機関が講じた措置とそれに対する日本側への影響について検討する。4節では、日本で桃の一大産地として位置づけられる山梨県を事例として、日本の桃産地における輸出継続にあたっての作業内容が両問題を経てどのように変化したのかを解明する。そして最後に5節において、桃輸出の継続に関する産地組織と地方自治体との連携の課題について整理したい。

4-2 ｜ 台湾への桃の輸出状況

1　日本における桃生産と輸出

　まず日本における桃生産と輸出動向について整理する。農林水産省「果樹生産出荷統計」によると、桃の収穫量は減少傾向にあり、2009年は15万700tであったが、2019年は10万7900tとなっている。主産地を見ると、山梨県が最も多く、2019年は3万700tとなっており、次いで福島県2万7000t、長野県1万2000tとなっている。これら桃産地にとって、輸出への着手は、とりわけ大玉などの規格の新たな販路の創出につながる[5]。

　次に、桃の台湾への輸出について概観しよう。日本産桃の輸出は、2002年の台湾のWTO加盟以降に拡大し、当初は台湾が大きなシェアを占めていた。表4・1は桃の輸出額の推移を表したものである。桃の輸出は出荷時期との関係から5〜9月にほぼ限定されている。これは、桃がりんごや梨など他の果

表4・1　日本産桃の輸出額の推移

(億円)

	2002年	2004年	2006年	2008年	2010年	2012年	2014年	2016年	2018年
総輸出額	3.0	2.3	3.7	5.0	4.5	3.8	8.3	12.0	17.8
台湾	2.9	2.1	3.1	3.8	2.6	1.8	3.1	2.9	2.9
5月	0.1	0.2	0.1	0.3	0.2	0.1	0.0	0.3	0.4
6月	0.7	0.2	0.2	0.2	0.4	0.2	0.3	0.3	0.3
7月	0.7	0.5	1.1	1.2	1.0	0.6	1.2	0.8	0.9
8月	1.1	1.2	1.4	1.7	0.9	0.7	1.4	1.4	1.2
9月	0.2	0.1	0.4	0.4	0.1	0.1	0.2	0.1	0.1
香港	0.1	0.2	0.5	1.1	1.8	2.0	4.9	8.7	14.1

(財務省「貿易統計」より作成)
＊表中の数値は小数第2位を四捨五入したものである。

実と比較しても長期の品質保持が困難だからである[6]。総輸出額を見ると、2012年以前は2〜5億円の範囲でわずかに増減するのみであったが、それ以降では、2014年に8.3億円、2016年に12.0億円、2018年に17.8億円というように増加傾向を示している。

　輸出先について見ると、日本産桃の場合は、台湾と香港に集中している。両地域の比率を見ると、2002年では台湾が総輸出額の96.7％を占めていたものの、その後台湾の比率は低下傾向をみせ、2018年には16.5％となっている。台湾に代わり上昇してきたのが香港である。とりわけ2012年以降は急速に輸出額が増加している。これまで香港は、「市場へのアクセス」と「日本食材・ブランドの浸透度」の観点から台湾とともに、輸入の制約が比較的小さく日本食材の浸透度が高い定着市場として位置づけられてきた。現在、日本産桃の輸出においては、香港が輸出額の増加をけん引していると言えよう。しかし、台湾は依然として重要な輸出先市場と言える。というのも、台湾は香港に次ぐ輸出先であり、比率では低下しているものの、輸出額では減少していると言えず、2〜3億円で推移しており、一定の市場規模を有していると推測されるからである。

2　台湾における日本産桃

　輸出先である台湾ではWTO加盟以降、急速に多国間競争が激化している。

表4・2　台湾における国別桃輸入額の推移

(万米ドル)

年次	総輸入額	米国産	チリ産	日本産	南アフリカ産	中国産
2002	4322.0	3479.6(80.5)	201.8(4.7)	81.0 (1.9)	116.8 (2.7)	4.1(0.1)
2004	4339.4	3361.1(77.5)	464.1(10.7)	124.6(2.9)	120.3(2.8)	7.8(0.2)
2006	4783.2	3528.6(73.8)	597.7(12.5)	149.2(3.1)	135.3(2.8)	33.2(0.7)
2008	5200.7	4330.7(83.3)	429.9(8.3)	192.3(3.7)	116.8(2.2)	31.8(0.6)
2010	4727.0	3703.6(78.3)	649.0(13.7)	130.3(2.8)	160.1(3.4)	34.8(0.7)
2012	4339.0	3187.0(73.5)	734.2(16.9)	135.7(3.1)	168.7(3.9)	31.0(0.7)
2014	3995.0	3090.2(77.4)	285.8(7.2)	329.0(8.2)	179.8(4.5)	44.8(1.1)
2016	5199.1	3832.0(73.7)	814.4(15.7)	293.1(5.6)	165.1(3.2)	37.1(0.7)
2018	4987.9	3782.5(75.8)	704.2(14.1)	270.8(5.4)	113.8(2.3)	48.0(1.0)

（行政院農業委員会「農産品別（COA）資料査詢」より作成）
＊括弧内の数値は総輸入額に占める各国産の比率である。
＊表中の数値は小数第 2 位を四捨五入したものである。

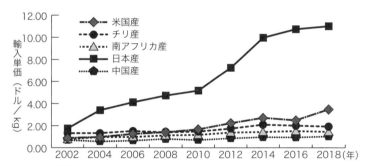

図4・1　台湾における桃の国別 kg あたり輸入単価
（行政院農業委員会「農産品別（COA）資料査詢」より作成）

　そのため、ここでは桃について日本産と他国産との競争関係を整理したい。

　まず台湾における桃の輸入について、台湾への輸出国として上位に位置している米国、チリ、日本、南アフリカ、中国を抽出して整理すると、表4・2のように表すことができる。前述のとおり、日本産桃の台湾への輸出は、りんごなどと同様に 2002 年の台湾の WTO 加盟とともに急拡大した。しかし、台湾市場における多国間競争から見た場合、日本産桃の市場シェアは特定病害虫検出問題および原発事故問題発生以前の 2008 年でも総輸入額の 3.7％を占めるにとどまっており、その後、やや増加したが 2018 年は 5.4％となっている。

チリ産が一時的に減少した 2014 年を除けば、台湾で輸入される桃は米国産やチリ産が大部分を占めてきたのである。

　さらに輸入単価の推移についても見ていこう。図4・1は、上記の5か国について台湾の WTO 加盟後の桃の平均輸入単価の推移を表したものである。輸入桃は各国産とも単価が上昇してきたが、その中でも日本産は最も高価格であり、かつ上昇率も突出している。そして、2010 年、2012 年についても 2008 年と比べると輸入量が減少している一方で、輸入価格はさらに上昇しているのである。たとえば、台湾において最も大きなシェアを持つ米国産との価格差を見ると、2002 年は日本産が米国産の 2.0 倍であったのに対して、2012 年は 3.2 倍にまで拡大している。数量と価格の双方から見ると、日本産桃は台湾において少量高価格品として位置づけられていると言える。

4-3 ｜ 特定病害虫検出問題および原発事故問題の発生

1　日本産桃からの特定病害虫の検出

　日本産農産物の中でも特にりんご、梨、桃などは、台湾の輸入検疫基準が改定されたことから、2007 年より日本国内産地で、台湾に輸出するための品質管理システムを構築することが不可欠になった[7]。それに伴い、桃を輸出している日本国内の産地組織や商社は、台湾が要求している品質管理システムだけではなく、品質保持のための独自の取り組みも実施してきた[8]。

　ところが、2010 年 8 月 23 日に台湾の輸入検疫において、山梨県産桃から特定病害虫モモシンクイガが検出されたことから、農林水産省は上記の品質管理システムの実施要領に基づき、同県産果実の台湾への輸出を暫定的に停止した。そしてその後、台湾への輸出が認められている選果梱包施設のリスト「台湾向け輸出生果実選果こん包施設一覧」から、特定病害虫が検出された選果梱包施設が一時的に削除されている。この状況を受けて、山梨県は同県庁が中心となって原因究明および改善措置に関する報告書を作成し、台湾の行政院農業

委員会動植物防疫検疫局に提出した。その結果、同年 12 月 28 日に輸出が再開されている。山梨県が提出した報告書には、特定病害虫検出問題が発生した要因として、①発生予察精度が不十分であったこと、②モモシンクイガ発生源の管理が徹底されていなかったこと、③局地的集中豪雨により農薬による防除効果が薄れたこと、④選果段階において異常高温であったこと、⑤大量注文に応えるため十分な検査時間を確保できなかったことなどが挙げられている[*9]。

この事例は、高品質を優位性として輸出されていた日本産果実の台湾への輸出における植物検疫上の重大な問題と位置づけることができる。なぜなら、りんご、梨、桃といった果実の台湾への輸出において、日本国内の輸出検疫で特定病害虫が検出された場合は、検出された果実を出荷した選果梱包施設の管内すべての生産園地で収穫された果実が輸出停止になるが、台湾の輸入検疫で検出された場合は処分がさらに重く、検出された産地の県内すべての果実が輸出停止になるからである。さらに当該年度に 2 回目の発見が報告された場合は国内の果実すべてが輸出停止になる。

桃という単一品目で見れば、その輸出額は 2010 年時点で野菜および果実の台湾への総輸出額 90.4 億円のうち 2.9%を占めるに過ぎなかった。しかし、りんごや梨も同様の品質管理システムのもとで生産されており、これらの品目を含めると 63.7%（57.6 億円）を占めるまでになる。台湾への輸出において重要な品目に位置づけられる 3 品目で特定病害虫検出問題が発生する可能性があることから、同問題は単なる 1 品目の課題としてではなく、日本産農産物の輸出において大きなシェアを占める台湾への輸出全体の課題として捉えられるべきであろう。

2010 年の特定病害虫検出問題では、先述したように同年の 8 月下旬から 12 月まで山梨県産桃の輸出が停止となった。検出の影響を山梨県内でとどめることができたとはいえ、主力品目でもある果実からの検出は総輸出額減少へつながる可能性もあった。ところが、特定病害虫検出問題が発生した 2010 年を見ると、2008 年と比較しても若干の減少にとどまっている（表4・1）。桃の輸出時期を見ると、とりわけ 7 月と 8 月に集中している。つまり、この特定病

害虫検出問題は、大部分の輸出が終了した後で発生したということである。このことは特に短期間での出荷が避けられない桃では特定病害虫検出の時期が輸出額に大きく影響すると捉えられる。

　2010年に、日本産果実から特定病害虫が台湾で検出されたのは山梨県産の事例のみである。よって、次年度からは再び特定病害虫が検出される以前の状態に戻されたため、国内すべての輸出停止の危険性は回避された。しかし換言すれば、さらに特定病害虫が検出された場合には日本の全産地へ影響が波及する可能性もあった。そのため、今後も、日本国内産地における品質管理は徹底していく必要がある。

2　原発事故問題の発生とその影響

　2011年3月に発生した原発事故問題によって、台湾をはじめ各輸出先において規制措置が講じられ、地域的にも品目的にも広範囲かつ長期的なものになった。2020年5月時点で、カナダ、ミャンマー、セルビア、チリ、メキシコ、ペルーなどは規制が解除されたものの、台湾や香港、中国、米国といった日本の主な輸出先国・地域ではまだ解除されていない。その中でも台湾に注目すると、福島県、群馬県、栃木県、茨城県、千葉県の産品について未だ輸入停止となっており、これら5県以外の産品についても品目により全ロット検査、サンプル検査のいずれかが課せられている。

　次に台湾の行政院衛生署（現・衛生福利部）によって講じられてきた日本産農産物の輸入検査における対応について整理しよう。台湾では行政院衛生署食品薬物管理局（現・食品薬物管理署）[10]が、2011年3月13日に、輸入された日本産農産物が放射性物質に汚染されている可能性について示唆し注意喚起の告示をしている。そして翌14日には福島県、宮城県、茨城県から輸出された農水産物に対して監視管理体制を強化することを告知している。

　現在、台湾においては、表4・3で示した基準値に基づき、セシウム134とセシウム137、ヨウ素131が基準値以内であるかどうかが検査されている。そして、食品薬物管理署ホームページでは、日本産の水産品、果実、野菜、乳製

表4・3　日台の放射性物質の検査に関する基準値　　　　(ベクレル／kg)

	台湾					日本		
	セシウム134およびセシウム137			ヨウ素131		セシウム134およびセシウム137		
2012年3月以前	全ての食品			牛乳、乳製品、ベビーフード	その他の食品	飲料水	乳製品	穀類、野菜、肉、卵、魚、その他の食品
	370			55	300	200	200	500
2012年4月以降	飲料水	乳製品、ベビーフード	その他の食品	牛乳、乳製品、ベビーフード	その他の食品	飲料水	牛乳、ベビーフード	その他の食品
	10	50	100	55	300	10	50	100

（農林水産省ホームページ〈https://www.maff.go.jp/j/export/e_shoumei/tw.html〉と台湾衛生福利部食品薬物管理署ホームページ〈http://www.fda.gov.tw/TC/siteList.aspx?sid=2356〉より作成）

品、ミネラルウォーターなどの飲料水、ベビーフード、海藻類、米類、その他の加工食品について、台湾の基準に照らした放射性物質の検査結果が公表されている。同局によると、日本産輸入果実について2011年3月から2012年10月末日に至るまでの検査件数は1万977件になり、そのうち微量の放射性物質が検出されたのが6件となっている。ただし、いずれも基準値以内であったため検査不合格とはなっていない。

　しかし、これまで不合格事例はないものの、現時点でこの取り組みは日本産輸入食品特有のものであること、この検査に合格して初めて台湾での市場流通が可能になることなどを鑑みれば、他国産にはないリスクが内在していると捉えられる[*11]。

4-4 ｜ 日本国内産地での輸出継続に向けた対応

　それでは両問題の発生と台湾政府機関の取り組みに対して、日本国内産地はどのように対応しているのであろうか。台湾の輸入検疫基準が改定されて以降、日本国内の産地組織や商社では、特定病害虫検出のリスクを抱えてきたが、

2010年にそのリスクが現実化したと言える。そして、2011年以降は原発事故問題も加わり、新たな環境下でのリスク対策が求められた。

　桃を輸出している産地としては、山梨県、福島県、和歌山県などが挙げられる。その中で山梨県の動向を見ると、2007年に山梨県果実輸出促進協議会が創設されて以降、同協議会が中心となって県内の各農協管内の桃やぶどう、すももを輸出している[*12]。協議会としての輸出額は、2014年5億1400万円、2015年5億9000万円、2016年6億4100万円と推移している。2019年時点で、山梨県内で台湾への輸出のために登録されている桃の選果梱包施設は笛吹農業協同組合6施設、フルーツ山梨農業協同組合9施設をはじめとする17施設となっている。山梨県産の桃の輸出を継続させる上では、これらの施設や生産園地での品質管理の徹底およびそれに伴う作業量やコスト負担の増加が不可避の課題になる。

1　作業量の増加への対応

　これまで桃やりんご、梨を台湾に輸出している日本国内産地においては台湾へ輸出するための取り組みに伴う作業量が増加してきた。図4・2は山梨県における輸出用桃に対する選果段階の作業フローを示したものである。これらの選果作業は2006年における台湾の輸入検疫基準の改定に基づくものであるが、2010年に特定病害虫検出問題が発生して以降は作業内容が追加されている。その内容とは、図中の「生産園地・選果前」の1と、「一次選果」の1および2、「二次選果」の1および2④である。選果員への指導が強化されただけではなく、2011年以降、輸出用果実に特定病害虫による被害がないかどうかを確認するため、照明付き大型ルーペが導入された。さらに、新たにチェックシートを導入して、輸出用桃の選果体制が台湾の輸入検疫基準どおりに機能しているかについて収穫期間中は毎日チェックするようになった。このチェックシートには管理項目として、①選果環境では選果梱包施設内の衛生管理やトラップの調査など、②搬入では輸出用生産園地との照合など、③一次選果では選果員の適正な配置や、被害果の処分など、④二次選果では選果技術員の適正な配置や、選

各選果段階	選果・梱包にかかる作業内容
生産園地・ 選果前	1. **講習会などを通じて生産者への指導を強化する。** 2. 収穫時、病害虫寄生果の除去を徹底する。
↓ 一次選果	1. **一次選果員への指導を強化する。** 2. **モモシンクイガなど特定病害虫が発見された場合は、当該生産園地は輸出向けから除外する。**
↓ 二次選果	1. **二次選果員を研修会に参加させる。** 2. **チェックシートに基づき選果を実施する。** 　①目視で外観をチェックする。（病害虫寄生果、傷果、過熟果などの除去） 　②ブラシにより毛じを除去する。 　③果梗を切り取る。（食害痕、虫糞、変色、陥没がみられる桃の除去） 　**④照明付き大型ルーペにより被害痕を再確認する。** 　⑤エアーガンにより洗浄する。 　⑥外箱やキャップに病害虫が混入していないかどうかを確認し、テープで密閉する。 　⑦台湾への輸出用であることを示すシールを添付する。

図4・2　山梨県の輸出用桃に対する各選果段階の作業フロー

(山梨県農政部資料および同部へのヒアリング調査に基づき作成)
＊図中の**太いゴシック体**の部分は、2010年の特定病害虫検出問題発生以降に追加された作業である。

果機材の確認、図4・2の作業フローに基づく作業、作業員の適正な休憩時間など、⑤最終確認では当日の選果実績や、1時間あたりの選果個数などについて記載することになっており、これらの内容の確認が義務づけられている。さらに山梨県では、これらの点について、選果技術員や営農指導員などが担当する各項目に記載し、県農政部に報告する体制を新たに構築した。従来のように各農協のみの取り組みではなく地方自治体もチェックする体制を構築したことにより、山梨県内ではダブルチェック体制として統一されたと捉えられる。

2　コスト負担の増加への対応

　作業量の増加とともに、輸出用桃を出荷する産地組織に対する輸出促進協議会などの補助金の役割も重要になっている。山梨県農政部では2007年より、①生産園地における病害虫発生予察トラップの設置に係る費用（1施設あたりの補助限度額1万3000円）、②選果梱包施設内の病害虫確認用トラップの設

置に係る費用（同1万2000円）、③輸出用選果技術習得に係る費用（同6万7000円）を各単位農協などに対して補助している[13]。これによって、各選果梱包施設では、より経済的負担を軽減した上で品質管理システムを構築することが可能になった。ところが、2010年に山梨県産桃から特定病害虫検出問題が発生したことで、さらにコストが増加しており、県農政部では各施設に対して、照明付き大型ルーペ導入に係る費用の半額に相当する1万2500円を補助している[14]。この導入は、今後輸出継続を図るためには設備能力をさらに向上させる必要がある一方で、輸出している産地にとっては徐々に負担するコストが増加している構造にあることを示唆している。

3 原発事故問題の影響下での輸出継続

　2011年は原発事故問題の発生により、山梨県とともに一大産地として位置づけられる福島県に対して輸出停止措置が講じられたばかりでなく、日本国内において台湾へ輸出できる産地と認められない産地の区分ももたらされた。台湾における日本産桃の輸入価格は上昇していることから、需要の少ない規格の販路の維持という輸出継続の利点は失われていない。台湾への輸出の際、放射性物質の検査証明書は求められていないものの、台湾側で放射性物質に関する検査が付加され続けている中では、日本側でも検査を継続する必要がある。このことから、同問題は日本国内の全産地の問題と捉えることができる。

　その中で、より重要となるのが放射性物質の不検出状況の発信である。日本国内において不検出を証明することは輸出継続の円滑化につながる。他県と同様に山梨県においても、消費者不安の払拭や風評被害の防止を目的として、2011年より県農政部が中心となり県内農産物の放射性物質の検査計画を策定し、出荷が本格化する前に同物質に関する検査結果を品目ごとに公表している。この検査結果において桃は、山梨市、韮崎市、南アルプス市、笛吹市の4か所で検査されており、これまでいずれの放射性物質も不検出であることが明らかにされている。さらに、山梨県は、農産物の海外需要に対して、英語をはじめとする外国語も用いて同様の結果を発信している。以上より、原発事故問題

では、特に県内の産地組織における輸出産品の放射性物質不検出情報の公開に関して、地方自治体が重要な役割を担っていると言える。

4-5 | 制度的対応の重要性

　本章では、桃の台湾への輸出を事例として、特定病害虫検出問題および原発事故問題の発生が日本産農産物の輸出産地の取り組みにどのような変化をもたらしたのかについて明らかにした。すなわち、日台関係機関による問題解決に向けた取り組み経緯と山梨県におけるヒアリング調査から、下記の点が明らかになった。

　第1に、特定病害虫検出問題が発生したことにより、日本国内産地にとっては、さらに多くの作業内容が求められるようになったという点である。特定病害虫検出問題は、モモシンクイガをはじめとする特定病害虫の発生状況が産地の管理能力を上回った結果と捉えられる。同問題の発生に対し、山梨県では、新たに生産者と選果員への指導を強化したほか、被害痕を確認するための器具を導入し、チェックシートに基づく産地組織と地方自治体のダブルチェック体制を構築している。とりわけ器具の新規購入と選果作業のチェックについては、地方自治体が大きく関与しており、特定病害虫検出問題発生以前と比較すると、輸出するにあたって地方自治体の役割が大きくなったと言えよう。

　第2に、原発事故問題の発生により、放射性物質という新たな懸案事項に対処する必要が出てきたという点である。原発事故発生後も、台湾での日本産桃の価格が上昇していることから、輸出を通じた海外需要獲得の重要性は小さくなっているわけではないと考えられる。その一方で、輸出先の消費者不安を除く取り組みが求められるようになった。この問題に対し、日本国内産地では各都道府県庁が中心となって自産地の輸出産品が放射性物質に汚染されていないことを開示している。特に山梨県では、農協などの各産地組織が個別に発信するのではなく、県庁が中心となって、日本国内だけではなく輸出先に対しても検査結果を発信している。ここで留意すべきなのは日台双方で放射性物質の

検査結果は公表されているが、検査品目の分類が異なっている点である。たとえば桃の輸出を見ると、台湾の行政院衛生福利部による輸入検査結果の公表では日本産果実の結果として公表され、同結果には他の果実も含まれている。その一方で、山梨県では同県産桃という単一品目の結果として公表しているが、それは輸出産品も含めた県産農産物全体を対象としたものである。このことから、今後、輸出先において日本産品を取り扱う業者が、山梨県産桃の台湾への輸出にかかる検査結果を確認し状況を把握する上で万が一の場合にも誤解が生じないよう、工夫した情報発信やコミュニケーションが求められるだろう。

　特定病害虫の検査を含む植物検疫の検査は農産物貿易では不可避の過程であり、原発事故の発生により付加された放射性物質の検査も、現在でもなお多くの品目で実施されている。いずれの問題についても検査に不合格になった場合、その影響は一自治体にとどまらないということが考えられる。農産物の輸出におけるリスクには、輸送中の損害や代金回収、さらには新型コロナウイルス感染症といった予測が難しい要因による食関連需要を含めた輸出先における社会経済の変容など様々なものが含まれるが、今後、長期的に輸出し続けていく上で、各産地は本章で見たような制度的リスクにも対応していくことが求められる。

　ただし、これら制度の変化に対応するために導入された新たなプロセスを、日本国内の産地組織が単独で実施することは困難になろう。とりわけ両問題の発生以降を見ると、桃の輸出において地方自治体の果たしてきた役割は大きい。それらは、産地組織の輸出に対する新たに付加された取り組みを補うものであるが、輸出継続にあたってはより重要になっている。日本産農水産物・食品の輸出においては、各産地組織が共通して抱える課題に対して、地方自治体も加わった新たな生産・出荷プロセスの構築が必要になる。そして、それにより輸出先において、品質や安全性の保持および認知といった価値が創造されると考えられる。

附記：本章の内容は、佐藤敦信（2014）「台湾向け日本産桃における輸出環境の変化と山梨県の対応

‑‑特定病害虫検出問題と原発事故問題を中心に‑‑」『農業市場研究』第 23 巻第 1 号［通巻 89 号］、
pp.34 ～ 43 を加筆修正したものである。

［参考文献］

・石塚哉史（2013）「県行政および系統農協の連携による野菜輸出の現段階と課題 —青森県産ながいも輸出の事
　例を中心に—」『わが国における農産物輸出戦略の現段階と展望』筑波書房、pp.73 ～ 92
・佐藤敦信（2013）『日本産農産物の対台湾輸出と制度への対応』農林統計出版株式会社
・中村哲也（2007）「果実の流通システムとマーケティング —新品種・安全性・輸出対応を中心に—」『農業お
　よび園芸』第 82 巻第 1 号、pp.199 ～ 210
・農林水産省大臣官房国際部貿易関税チーム輸出促進室（2008）『平成 19 年度農林水産物貿易円滑化推進事業輸
　出物流コスト削減等に関する調査報告書』

［注］

* 1　佐藤（2013）では、りんごを事例として、米国産などが台湾の輸入検疫で不合格になる事例が比較的多く、
　　　市場シェアが縮小している一方で、日本産をはじめとする他の輸入品についてはシェアが拡大していたこ
　　　とが明らかにされている。
* 2　本稿での制度とは、問題の発生に伴う規制を指すものとする。
* 3　財務省「貿易統計」によると、日本産農産物（野菜および果実）の総輸出額は農政転換以前の 2002 年で
　　　は 141.9 億円（うち台湾への輸出は 60.4 億円）であったが、その後の推移を見ると、2006 年 193.1 億円（同
　　　94.1 億円）、2010 年 194.0 億円（同 90.4 億円）、2014 年 263.9 億円（同 120.4 億円）、2018 年 461.0 億
　　　円（同 158.6 億円）となっている。
* 4　農産物輸出における地方自治体の役割について、石塚（2013）では青森県を事例に、輸出先の関連制度の
　　　把握やパートナーの開拓などを挙げ、輸出事業へ関与する範囲を青森県農林水産物輸出促進協議会と共同
　　　で段階的に設定していることが明らかにされている。
* 5　農林水産省大臣官房国際部貿易関税チーム輸出促進室（2008）では、山梨県の桃について、輸出されてい
　　　るのは台湾で需要が多い大玉（13 ～ 15 玉）に限る、と言及している。
* 6　山梨県庁農政部におけるヒアリング調査によると、同県で輸出されている品種は、出荷時期の関係から主
　　　に川中島白桃や日川、白鳳とのことであった。
* 7　台湾への輸出において日本国内産地で要求されている生産園地や選果梱包施設などでの品質管理システム
　　　については「台湾向け生果実検疫実施要領」に規定されている。この要領で対象になるのはりんご、梨、桃、
　　　すももである。選果梱包施設の登録申請期間や、登録生産園地と選果梱包施設に対する台湾側検査官の派
　　　遣要請時期以外では、各品目間で取り組み内容の差異はない。なお、りんごや梨の輸出用品質管理システ
　　　ムの構築にかかる課題については、中村（2007）や佐藤（2013）で言及されている。
* 8　たとえば、2005 年から福島県産を中心に桃を輸出し、輸出量が年間 50t 前後で推移してきた商社 A 社に
　　　おけるヒアリング調査によると、同社では、①強化された外箱や、②輸出用パレットを導入することによ
　　　って輸出される桃の品質保持を図ってきたとのことである。導入する以前は輸出過程において損果が 4 ～
　　　5％発生していたが、導入後には見られなくなった。しかし、その一方で、負担するコストが増加してきた。
　　　①については 65 円／箱から 75 円／箱へと増加し、②については新たに 3000 円／枚負担することになった。
　　　また佐藤（2013）でも言及されているように、このような取り組みについては桃だけではなく、梨などを
　　　輸出している他の産地組織でも見られる。
* 9　植物防疫所資料（http://www.maff.go.jp/j/press/syouan/syokubo/pdf/101228-03.pdf）による。
* 10　衛生署は 2013 年の組織改正により、衛生福利部へと昇格している。また、それに伴い、所属機関の 1 つ
　　　であった食品薬物管理局は食品薬物管理署になっている。

* 11 2012 年 4 月、行政院衛生署は、原発事故発生後からの規制措置について、完全に放射性物質が検出されないという状況が確保されていないとした上で、引き続き情報を収集し、関係部署と密接に連携し、日本に対する規制措置は調整しない方針をとったと発表した。このことからわずかな検出も規制措置の継続につながり、原発事故問題が今後さらに長期化する可能性も指摘できる。

* 12 山梨県果実輸出促進協議会は山梨県農政部や全国農業協同組合連合会山梨県本部、県内各単位農協などから構成されている。

* 13 それぞれ示した金額は補助限度額であるが、山梨県農政部におけるヒアリング調査によると、現在に至るまで概ね限度額の満額が補助されているとのことである。

* 14 2011 年から導入された照明付き大型ルーペに対する補助は金額から見ると、これまでの補助額よりも少額になっている。

第5章
産地構造の変動と輸出振興策

5-1 生産財の輸出

　農業分野でこれまで日本から輸出されてきたのは、果実や野菜、その他の加工食品といった最終消費財だけではない。輸出先地域での農業生産に資する生産財も輸出されている。言うまでもなく、こうした生産財は最終消費財とは直接その財を欲する実需者が異なり、その輸出動向には、輸出先での消費実態だけではなく、気候条件も含めた生産状況も大きく関わる。そのため、輸出品目は限定され、最終消費財とは別個に輸出にかかる課題を検討する必要がある。たとえば、生産財としては野菜の種子などが輸出されてはいるものの、一部の種苗企業は海外需要獲得のために輸出のみならず、大きな市場の獲得が見込める諸外国・地域において現地法人を設立し、現地における契約農家の農場で品種改良をした種子の現地での適合性を試験する場合もある。それは、現地に拠点を構築することで、品種改良をした種子の試験をするために必要になる契約農家との関係の構築や、現地の土壌や気候といった環境条件に適合し生産性の高い品種を生み出すのに必要になる試験圃場での情報のフィードバックがしやすくなるからである。しかし、こうした現地生産への着手と拡大とは異なる論理で諸外国に供給される品目もある。つまり、現

地生産では十分な需要を満たせないことから輸出を継続する必要がある品目で、日本の梨花芽穂木<ruby>梨花芽穂木<rt>なしはなめほぎ</rt></ruby>もその１つである。

　１次産品の輸出を継続する場合、グローバル経済の進展に伴う輸出先市場での多国間競争のみならず日本国内での産地間競争も検討していく必要があるだろう。というのも、これまで海外需要の取り込みを図るため、日本の各輸出主体または産地において品目別、輸出先別に見た輸出戦略の多様化が進展してきたが、近年は、複数産地で同一品目を同一地域へ輸出するという状況が見られてきたからである。

　さらに、第４章でも触れたが、2011年に発生した原発事故問題による輸出先地域での規制措置の影響もあり、それぞれの輸出先地域で輸出が許可される産地が異なっている。これまで各輸出先との交渉で規制措置が解除または緩和されたケースはあるものの、2019年時点で変化がない輸出先も依然として少なくない。こうした状況下では、輸出産品の産地再編とそれに伴う新たな産地間競争が生まれていることも考えられる。そこで、本章では輸出品目の中でも梨花芽穂木に注目し、新たな産地間競争の中で産地組織が抱える課題について考察する。生産財としての梨花芽穂木は、これまで主として台湾に輸出されてきたが、2011年以降、出荷産地は大きく変動している。こうした農業分野における生産財の輸出のあり方に関する研究成果は、りんごや梨といった最終消費財に焦点を当てた研究と比較すると少ない[1]。特に梨花芽穂木に注目した成果としては、古関（2012）や佐藤（2013）がある。古関（2012）は、梨花芽穂木の輸出先である台湾で梨花芽穂木の輸入が始まった経緯と実需者である台湾の梨生産者の梨花芽穂木を使った生産状況について明らかにしている。佐藤（2013）は、日本国内産地での梨花芽穂木の輸出に伴う取り組みとその課題について植物検疫の側面から考察している。しかし、これらの成果は、2011年以前の実態に基づくものであり、2011年以降の産地再編などの影響については検証されていない。上述のように、同年以降、日本での産地間競争の状況は大きく変動しており、この現状を把握することは、今後の輸出継続を図る上では不可欠になる。

以下では次の構成で課題に接近する。まず2節において日本産梨花芽穂木が輸出される背景や台湾における日本産の位置づけなどを整理する。3節では日本国内産地が原発事故を経てどのように変容したのかについて明らかにする。そして、4節では3節の結果に基づき新たな産地構造での梨花芽穂木の輸出の意義と産地間競争について言及し、5節で今後の展望と残された課題を示したい。

5-2 | 梨花芽穂木が輸出される背景

1 梨花芽穂木の概要

　本章で焦点を当てる梨花芽穂木とは、花芽を持った梨の枝木である。言うまでもなく、梨には二十世紀、新興、新高、幸水、豊水などといった品種があり、出荷時期や糖度が異なる。生産者にとっては、消費者の需要に即した品種の生産を推進していく必要がある。通常、どの品種が結実するのかは台木の品種で決まる。しかし、果実の場合、枝を切断し切断箇所に新たに別の品種の枝木を接着させることで、台木とは異なる品種で結実させ、なおかつ育種にかかる時間を短縮させることができる。ただし日本国内市場を見た場合、花芽穂木が商材として取引されることはほとんどない。それは、品種の保存や他産地への移植といったように用途が限られるからである。果実の生産過程で剪定作業は必要になるため枝木はどうしても発生するものであるが、日本国内では実需者が少ないと推測される。そのため、海外需要を視野に入れない場合は、各生産者で廃棄物として処分されることになる。そのような状況下で、梨については花芽穂木が台湾へ輸出されている。

　梨生産者が花芽穂木を輸出する場合、花芽穂木の枝部分の長さや1本あたりの花芽数が規定されている。たとえば、後述するように新潟県も梨花芽穂木を輸出しているが、全国農業協同組合連合会新潟県本部（以下、JA全農にいがたと表記）の資料によると、輸出される梨花芽穂木は、新興、豊水、幸水で、

穂木の長さが 20cm 以上、55cm 以下のもの[*2]、芽の数が頂芽を含み 4 個以上または頂芽を含まず腋芽 3 個以上のもの、というように規定されている。

2　台湾における需要

　日本産梨花芽穂木の輸出先はほぼ台湾に限定されている。表 5・1 は 1990年以降の日本産挿穂および接ぎ穂の輸出量と輸出額を示したものである[*3]。輸出された挿穂および接ぎ穂は数量、金額ともに 2010 年までは増加傾向にあったものの、それ以降は、総輸出量は 600 〜 800 万本、総輸出額は 2 億円前後で推移していることが分かる。そして、その中でも台湾向け輸出は、ほとんどの年で 95％以上を占めている。このように挿穂および接ぎ穂の輸出において台湾向け輸出が多くを占めているのは、台湾の梨生産者の需要と現地の自然環境という特殊な条件の下で成立している輸出だからである。そこで、台湾の梨生産者において梨花芽穂木の需要が生まれた要因を、台湾における品種別産地価格の差と域内の自然環境の 2 つの側面から整理したい。台湾の行政院農業委員会「農産品生産量値統計」によると、台湾の梨生産量は、2010 年 17 万4857.8t、2011 年 15 万 12.9t、2012 年 13 万 7911.4t と減少していたが、その後は増減を繰り返し 2018 年は 11 万 8648.8t となっている。台湾における主な梨産地は台中市と苗栗県であり、2018 年の生産量を市県別に見ると、台中市が 7 万 8214.5t（台湾総生産量の 65.9％）、苗栗県が 3 万 3073.5t（同 27.9％）というように、これら 2 地域が大きなシェアを占めており、両地域が台湾における梨の主産地であると言える。こうした産地では、横山梨、新興、新世紀、豊水、幸水といった品種の梨が生産されているが、品種により産地価格が異なっている。図 5・1 は品種別梨平均産地価格の推移を表したものである。統計の制約により抽出できない品目と年があるが、この図から横山梨は他の品種よりも低い価格で推移していることが分かる[*4]。

　横山梨は赤梨系の台湾在来種である。通常、花芽には年間で一定の寒暖差が必要であるが、横山梨の生産には寒暖差は他品種ほど求められない。こうした特徴から台湾では、新興、新世紀、幸水などが 1500m 以上の高冷地で栽培さ

れている一方で、横山梨は低暖地で栽培されている。そして、横山梨は高冷地で生産される品種より栽培面積は大きいが、形、糖度、含水率の点で劣るので安価になっているという特徴も持つ[*5]。そのため、横山梨を生産してきた生産者にとっては、こうした横山梨と他品種との価格差は経営上の大きな課題となり、農業生産による収益増加を図るためには、品種を転換することも考えられる。そこで、横山梨の生産者を中心に、台湾において梨花芽穂木の需要が生まれ、1986年に日本からの輸入が開始されたのである[*6]。先述のように、梨花芽穂木は台木に接ぎ木することで、台木の品種とは異なる品種の梨を結実させることができる。しかし、接ぎ木しても、次年度以降についてはその梨花芽穂木からは結実しないため、生産を継続するなら新しい梨花芽穂木を購入し接ぎ木しなければならない。こうしたことから横山梨の生産者を中心として他品種の梨を生産したい者は、毎年、梨花芽穂木を調達する必要がある。台湾でも生産面積は小さいものの、新興、新世紀、幸水といった品種は生産されており、日本から輸入する場合、台湾域内での調達と比較すると高コストになる。さらには植物検疫などの非関税障壁の影響を受けることも考えられる。それにもかかわらず日本からの輸入が継続されているのは、台湾で調達できる新興などの梨花芽穂木の数量では、需要を十分に満たすことができないからである。台湾で接ぎ木による梨生産が開始された当初は、日本産ではなく台湾域内から調達した梨花芽穂木を使用していた。(財)中央果実基金（1998）によると、接ぎ木による梨生産は、1975〜76年に台中県の梨生産者が横山梨に新世紀を接ぎ木したことから始まり、その経済効果が良好であったことから、接ぎ木による生産が台中県以外にも拡大したとのことである。これにより高冷地で生産される梨花芽穂木では需要量に追いつかなくなった。以上の背景から、台湾の梨生産者において日本産梨花芽穂木の継続的な需要が生まれた。

表 5・1　日本産挿穂および接ぎ穂の輸出量・金額の推移

年次	輸出量（万本）	台湾向け輸出量	輸出額（億円）	台湾向け輸出額
1990	209.6	208.5 (99.5)	0.5	0.5 (98.6)
1995	450.1	444.6 (98.8)	0.8	0.8 (97.1)
2000	603.1	601.6 (99.8)	1.8	1.8 (99.7)
2005	745.4	745.2 (99.9)	2.1	2.1 (99.7)
2010	984.3	966.3 (98.2)	2.7	2.6 (96.4)
2011	712.6	693.9 (97.4)	1.9	1.8 (94.2)
2012	815.9	815.9 (100.0)	2.3	2.3 (100.0)
2013	838.2	816.5 (97.4)	2.6	2.3 (97.4)
2014	701.4	689.1 (98.2)	2.1	1.9 (98.2)
2015	817.0	784.1 (96.0)	2.3	2.1 (96.0)
2016	676.5	661.0 (97.7)	1.9	1.7 (97.7)
2017	657.5	633.2 (96.3)	1.8	1.6 (96.3)
2018	751.9	732.3 (97.4)	2.4	2.2 (94.7)

（財務省「貿易統計」より作成）
＊括弧内の数値は、総輸出量（金額）に占める台湾向け輸出量（金額）の比率である。
＊数値については、輸出量・金額ともに小数第 2 位で四捨五入した。

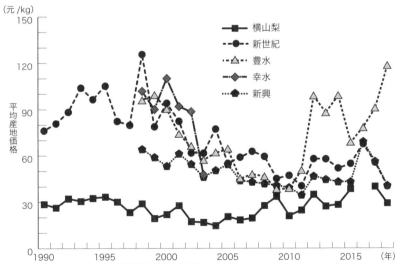

図 5・1　台湾における品種別梨平均産地価格の推移
（行政院農業委員会農糧署「農産品價格査詢系統」より作成）

5-3 | 原発事故発生後の輸出産地

1 梨花芽穂木の産地構造

　次に、梨花芽穂木の輸出における日本国内の産地構造について整理したい。現在、日本において梨花芽穂木の輸出に取り組んでいる産地は限られているが、本章では新潟県の取り組みを事例とする。特に東日本大震災以降、農水産物・食品の輸出産地の構成は、輸出先国・地域が講じた規制措置により大きく変わることを余儀なくされてきた。その中で原発事故の発生以降でも新潟県は梨花芽穂木の輸出を継続しており、以下で述べるように日本国内産地の中でも大きなシェアを占めていると推測されるからである。

　梨花芽穂木も農産物に含まれることから、輸出にあたっては日本と台湾双方において植物検疫を受ける必要がある。台湾の行政院農業委員会は 1990 年に梨花芽穂木に関する輸入検疫条件である「梨接ぎ穂輸入検疫作業辨法」を設け、梨花芽穂木の輸出産地に対し、この条件をクリアすることを要求している[7]。この辨法では、台湾の動植物防疫検疫局が、毎年、輸出国の植物防疫検疫機関と合同で、輸出用梨花芽穂木の生産園地において、台湾の輸入検疫条件をクリアできているかどうかについて調査することが規定されている[8]。そして、合格した生産園地は、日本において輸出用梨花芽穂木の採取園地台帳に登録される。さらに 2006 年には登録生産園地で採取された梨花芽穂木のみ輸出することが可能になった。これら登録生産園地についても、毎年、台湾の動植物防疫検疫局と日本の農林水産省の検査官による査察を受けることが義務づけられている。その際には、当年の梨花芽穂木について生産者に対するヒアリングと検査官の目視により検査されることになっている。図5・2は台湾向け梨花芽穂木の栽培地検査での合格本数の推移を自治体別に表したものである[9]。ここで注目すべきなのは、2011 年前後で輸出における産地構造が大きく変容している点である。2010 年以前を見ると、福島県、新潟県、栃木県、鳥取県が主に輸出していることが推測でき、同年時点で各県の比率は、福島県 39.9%、

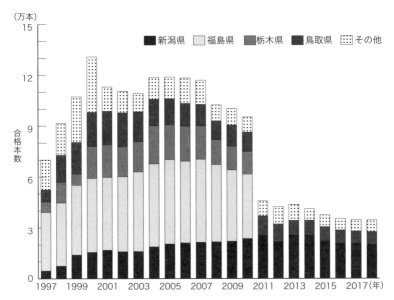

（万本）

凡例：■新潟県 □福島県 ■栃木県 ■鳥取県 ⊞その他

図5・2　台湾向け梨花芽穂木の栽培地検査での合格本数

（植物防疫所「植物検疫統計」各年版より作成）

新潟県 24.8%、栃木県 13.9%、鳥取県 11.9% となっている。本章で事例とする新潟県は合格本数が徐々に増加しているものの、最も大きなシェアを保持しているのは福島県というのが 2010 年までの構造であった。ところが、2011年に原発事故が発生したことにより、主産地のうち福島県と栃木県の梨花芽穂木の輸出は認められなくなった。日本の総合格本数が急減すると同時にそれまで第 2 位の比率であった新潟県が第 1 位となり、2018 年では新潟県が占めるシェアは 58.4% になった。これにより、梨花芽穂木の輸出において新潟県の取り組みの重要性がさらに高まったと言える。

2　輸出に対する新潟県の取り組み

　新潟県産梨花芽穂木を輸出している主体の 1 つとして、JA 全農にいがたが挙げられる。JA 全農にいがたは県内の 6 つの単位農協、物流企業とともに梨

生産者から集荷し輸出している[*10]。そこで、まず、JA 全農にいがたによる集荷から台湾への供給までの過程を整理する。日本の梨生産者は 7 月中旬に農林水産省と台湾の動植物防疫検疫局の検査官による生産園地の査察を受け、11 月から翌年 1 月の間に梨花芽穂木の採取、選別、粗梱包といった作業を行う。その後、各単位農協が集荷し、JA 全農にいがたと物流企業とともに集荷した分の検査や計量が行われる[*11]。梨花芽穂木は新潟空港にある植物防疫所において輸出検疫を受け、検査に合格した後、台湾へ輸送される[*12]。そして、台湾に到着した後、台湾の協同組合にあたる合作社により主に台中県の梨生産者に供給される。

　JA 全農にいがたは 1997 年に新潟県産梨花芽穂木の輸出に着手している。これまで輸出してきた品種は、新興、豊水、幸水の 3 品種である[*13]。図 5・3 は JA 全農にいがたを介した新潟県産梨花芽穂木の輸出量の推移を表したものである。2008 年には輸出量が 47t となっており、同年までは増加傾向を示していた。しかし、その後は徐々に減少しており、2013 年は 31t、2018 年は 24t となっている。また、品種別に見ると 1997 年以降、台湾側の需要に基づき一貫して新興が多い。古関（2012）では、台湾における各輸入団体の梨花芽穂木の品種別輸入量についても整理されている。この研究成果では、当初、活着率のよい幸水や果実の大きい豊水の需要が多かったが、幸水については台湾で果実があまり大きくならなかったことから好まれなくなり、豊水よりも果実が大きく、果肉が緻密で柔らかい新興の輸入に重点が置かれるようになったと指摘している。JA 全農にいがたの品種別輸出量を見ると、2018 年は新興が 19t、豊水が 5t となっており、幸水の輸出はない。その一方で、新興は各年とも数量が多く、梨花芽穂木の輸出の趨勢を見ていく上では、新興の重要性は一貫して高いと言えよう。

　さらに、JA 全農にいがたでは、JA 担当者や植物防疫所との取り扱い会議を実施し、それを受けて各単位農協では出荷目合わせをしている。このようにして県内の出荷生産者に対して輸出される梨花芽穂木の規格などを周知しているのである[*14]。また、台湾側に対しても輸出業者により年間 2 回程度、台湾

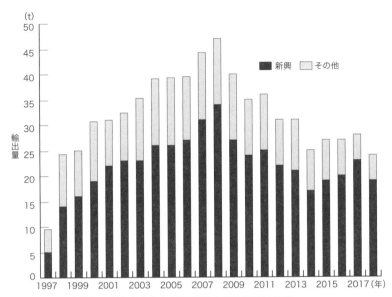

図 5・3　JA 全農にいがたを介した梨花芽穂木の輸出量の推移
（JA 全農にいがた資料より作成）
＊図中の「その他」とは、豊水と幸水の合算値である。

　の需要者への営業活動がされているほか、JA 全農にいがたや各単位農協、出荷生産者によっても 2 年に 1 回ほどの頻度で台湾の実需者に対して営業活動が展開されている。こうした JA 全農にいがたを中心とした産地組織によって県内の出荷生産者や台湾の需要者とのコミュニケーションが成立しており、台湾の需要の把握と、需要に基づいた供給が可能になっている。

5-4 ｜ 日本産梨花芽穂木の輸出の意義と産地間競争

1　新たな産地構造下での輸出の意義

　台湾の特定地域の梨生産者にとって、台湾で高まってきた高品質梨への需要に対応するには梨花芽穂木が必要であり、日本の輸出はこうした生産者への支援と捉えることができる。台湾での梨の生産が大きく減少することなく、今後

もこれまでと同程度で生産されるならば、梨花芽穂木の需要も維持されるだろう。その上、輸出できる産地が限定された現在、新潟県のような輸出を継続している産地の動向は注目していく必要がある。JA全農にいがたへのヒアリング調査によると、原発事故の発生以降においても、台湾側からの需要は減少しておらず、福島県産等の輸出がなくなったことで供給が需要に追いついていない状況が続いているとのことである。依然として衰えていない需要に対して供給できる日本国内産地が限定されていることから、一産地が果たす台湾への生産支援の意義はより一層高まっていると捉えられる。

　また、日本の梨生産者にとっては、輸出することにより剪定で切り落とした枝木を商材にすることができている。この点も輸出の利点と言えよう。2018年時点で、JA全農にいがたでは梨花芽穂木の価格を1100〜2000円／kgで設定しており、これに基づく収益は梨生産者にとっては梨の生産過程で生まれた貴重な副産物と言える[*15]。特に梨花芽穂木の採取・出荷にかかる作業は11月から始まるので冬季の収入の確保にもつながる。

2　国内産地間および中国産との競争

　日本国内では、新潟県が栽培地での検査状況から大きなシェアを持っていると推測されるものの、産地間競争や県内であっても競合企業による生産者や梨花芽穂木の争奪戦が激化している。JA全農にいがたからも県内生産者に対して梨花芽穂木の出荷を定期的に依頼しているが、実際には必ずしもJA全農にいがたを介して輸出されるわけではなく、他の企業を介して輸出される場合もある。台湾の需要が依然として多いという状況を鑑みれば、今後も、台湾側に単価の引き上げを要請していき、JA全農にいがたを介した輸出による収益増加を管内の出荷者に訴えていくといった取り組みが求められるだろう。

　次に台湾における課題を整理する。日本側から見れば日本産梨花芽穂木の輸出は台湾向けにほぼ特化されている。その一方で台湾側から見ると、原発事故の発生を境に輸入構造が変化している。同事故の発生後、日本からの輸入量が減少したため、2012年から新たに中国産梨花芽穂木の輸入を認めるようにな

表5・2 台湾における梨花芽穂木の輸入状況

年次	総輸入量（t）			総輸入額（万台湾元）			1t あたりの価格（台湾元／t）	
		日本	中国		日本	中国	日本	中国
2003	117.1	117.1	—	6473.4	6473.4	—	55万2621	—
2004	205.8	205.6	—	1億1604.8	1億1598.0	—	56万4132	—
2005	175.3	175.3	—	9346.1	9346.1	—	53万3216	—
2006	190.0	190.0	—	8894.7	8894.7	—	46万8071	—
2007	139.2	139.2	—	6643.0	6643.0	—	47万7320	—
2008	174.3	174.3	—	8358.2	8358.2	—	47万9425	—
2009	172.6	172.6	—	9057.4	9057.4	—	52万4765	—
2010	156.3	156.3	—	8141.7	8141.7	—	52万0789	—
2011	108.4	108.4	—	5521.6	5521.6	—	50万9547	—
2012	94.9	84.5	10.4	4310.2	4050.7	259.5	47万9390	25万0000
2013	137.2	125.3	11.9	6077.5	5780.2	297.3	46万1272	25万0042
2014	118.4	112.2	6.2	4651.3	4496.5	154.8	40万0722	25万0081
2015	120.3	105.3	15.0	4713.9	4338.6	375.3	41万2179	25万0033
2016	123.2	104.5	18.7	4889.5	4422.0	467.5	42万2996	25万0000
2017	122.2	106.6	15.7	5247.2	4854.9	392.3	45万5645	25万0032
2018	123.4	107.9	15.5	5726.6	5339.1	387.5	49万4819	25万0000

（財政部関務署「海関進出口統計資料庫査詢系統」より作成）
＊本表の数値は、「海関進出口統計資料庫査詢系統」の貨品分類における「梨、未長根插穂及畜芽」を抽出したものである。

ったのである[16]。この市場開放により、中国山東省からも輸入されるようになり、それまで続いていた日本産の独占が崩れることになった。表5・2は、台湾における梨花芽穂木の輸入状況の推移を表したものである。2011年まで台湾は日本からのみ輸入していたが、同年の原発事故の発生の影響もあり、前年と比較して輸入量は156.3tから108.4tへ、輸入額は8141.7万台湾元から5521.6万台湾元へとそれぞれ減少している。ただし、その後輸入された中国産の推移を見ると、2018年時点まででは、大きな市場シェアを占めるには至っていない。2018年においても中国産の輸入量は15.5tであり12.6％を占めるのみである。ここから、日本産の独占はなくなったものの、依然として日本産が大きな市場シェアを保持していることが分かる。また、1tあたりの価格

を見ると、2018年は日本産が49万4819台湾元／tであるのに対し、中国産は25万台湾元と両者には2倍近い価格差がある。日本産農林水産物の輸出にあたってはこれまでも、輸出先市場において他国産品と比較して高価格になり価格競争で不利になる可能性や、一方で高付加価値による高価格の妥当性が論じられてきた。2012年以降、中国産が輸入されたことで、改めて日本産梨花芽穂木も高価格であることが示された。今後、日本産の輸出継続と現在の輸出量・金額の規模の維持を図る上では、日本産と中国産の競合実態や、中国産の品質にも注目していく必要がある。

5-5 | 輸出継続に向けて

　本章では、梨花芽穂木の台湾への輸出における産地構造の変化を踏まえた上で、輸出にかかる産地での対応における課題について考察した。原発事故の発生により各輸出先国・地域が講じた規制措置を見ると、台湾向け梨花芽穂木も含め依然として産地ごとで輸出の許可・不許可が分かれている。同事故の発生後、輸出できる産地が限定され、現在輸出できる個々の産地の取り組みが輸出全体に与える影響は大きくなった。その中で、新潟県ではこれまで、台湾からの需要が特に多い品種（新興）を中心とした輸出を維持するため、県内梨生産者に対して出荷を促している一方で、台湾に対しても現状の把握のためのコミュニケーションを継続している。需要過多の状況下ではとりわけ前者の取り組みの意義は大きいと言える。

　その上で、梨花芽穂木の輸出継続の可能性を検討する上での残された課題について3点指摘したい。

　1点目は、日本の梨生産者における出荷先の選択の実態である。本章で言及したのはJA全農にいがたが把握している範囲のものである。これまでJA全農にいがたなどが中心となり輸出にかかる生産園地の検査を実施してきたが、輸出される新潟県産梨花芽穂木を集荷しているのはJA全農にいがただけではないことから、梨生産者の出荷先の選択についても分析する必要がある。この

ことで、JA全農にいがたのような産地組織にとっては、台湾の需要量を満たすための、より効果的な出荷者の確保が可能になる。

　2点目は日本国内における産地間競争である。農林水産分野での日本産品の輸出では、複数の産地がそれぞれ同一品目を輸出するというのも珍しくなく、梨花芽穂木でも同じ状況が見られる。鳥取県なども台湾に向けて梨花芽穂木を輸出しており、輸出の継続には、こうした他産地との取り扱い価格の比較や、台湾域内の供給先での競合実態を把握することも重要になる。

　3点目は、台湾市場における中国産梨花芽穂木との競争である。中国からの梨花芽穂木の輸入も開始され、2018年時点では依然として日本産が大きなシェアを占めているものの、今後は日本産と中国産との競合実態についても、台湾の梨生産者の選択要因や生産状況とあわせて明らかにしていく必要があるだろう。中国産梨花芽穂木は日本産と比較して低価格であり、梨生産者が価格を重視した場合、中国産の需要が高まることも考えられるからである。

　冒頭で述べたように、梨花芽穂木は生産財として位置づけられる。また、中国産の輸入が開始される前は、台湾市場において日本産がほぼ独占していたと見なされる。これらのことから、現時点では、輸出先市場での多国間競争が激しいとは言えず、現地の消費者に向けて日本産独自の魅力をPRする必要がある他の日本産農林水産物・食品とは異なる特殊な輸出品目であると言える。ただし、産地間競争があることや、原発事故問題の発生により産地間競争の様相が大きく変化した点などは、他の品目との共通した課題として見出される。今後、産地組織が中心となり、輸出先市場の需要に沿った産品の輸出を拡大させ、併せて輸出先市場の需要者に単価の引き上げなどを交渉していくことで、出荷者の輸出に対するインセンティブを高めていくというサイクルを構築していくことが重要になると考える。

附記：本章の内容は、佐藤敦信（2020）「日本産梨花芽穂木の台湾への輸出にかかる出荷産地の変動と産地組織の取り組み」『地域創造学部紀要』第5巻、pp.45〜59を加筆修正したものである。

[参考文献]

・池田勇治（1991）「二十世紀なし輸出の背景と課題」『農村研究』第 72 号、pp.48 〜 58

・古関喜之（2012）「台湾における寄接ぎナシ栽培の展開と生産地域の課題」『地域学研究』25 号、pp.53 〜 78

・斎藤功、陳憲明（1984）「台湾中央山地における温帯落葉樹・高冷地蔬菜栽培の発展」『筑波大学人文地理学研究』第 8 巻、pp.140 〜 180

・佐藤敦信（2013）『日本産農産物の対台湾輸出と制度への対応』農林統計出版株式会社

・（財）中央果実基金（1998）『台湾における落葉果樹の生産・流通事情調査報告書（りんご、もも、なし及びぶどう）』（財）中央果実基金情報部

・張雅玲（2014）「進口梨穗供應鏈模式与産業未来展望」『農政与農情』第 269 期（https://www.coa.gov.tw/ws.php?id=2502222、2020 年 12 月 1 日閲覧）

・横田洋之（2006）『「鳥取二十世紀梨」輸出の現状』21 世紀政策研究所（http://www.21ppi.org/pdf/thesis/061211.pdf、2020 年 12 月 1 日閲覧）

・李錦東、白武義治（2006）「輸出を続ける二十世紀梨の輸出システムと産地の対応 ― JA 全農とっとり 2 支所梨選果場を事例に―」『農業経済論集』第 56 巻第 2 号、pp.1 〜 12

・李錦東、白武義治（2007）「二十世紀梨の輸出動向と産地の対応 ―鳥取県梨産地を事例に―」『システム農学』23 巻 1 号、pp.57 〜 70

[注]

＊ 1　たとえば、最終消費材である梨の輸出に焦点を当てた研究成果としては、池田（1991）、李・白武（2006）（2007）、佐藤（2013）、横田（2006）などがある。池田（1991）は梨の輸出の背景を明らかにし、李・白武（2006）は輸出量減少下での産地のマーケティング戦略について言及している。李・白武（2007）は梨の輸出に関する産地の対応と生産者への経済的影響を、佐藤（2013）は台湾向け梨の輸出にかかる産地組織の品質管理の課題をそれぞれ明らかにした。また、横田（2006）は二十世紀梨の輸出で長い歴史を持つ鳥取県の現状を整理している。

＊ 2　新興の場合は 12cm 以上と規定されている。また、55cm 以上のものについては中間で分割するとのことである。

＊ 3　統計の制約上、梨花芽穂木のみの数値を抽出することはできない。

＊ 4　各品種でそれぞれ単価を抽出できる年から平均値を算出すると、横山梨 26.7 元／ kg、新興 49.0 元／ kg、新世紀 70.7 元／ kg、豊水 72.2 元／ kg、幸水 88.2 元／ kg となる。

＊ 5　斎藤・陳（1984）による。

＊ 6　当初から輸出していたのは福島県や鳥取県などであった。

＊ 7　「梨接ぎ穂輸入検疫作業辨法」では、梨花芽穂木の輸出にかかる申請書類、新たな産地で梨花芽穂木を輸出する場合の手順、各国政府の植物防疫検疫機関によって特定病害虫の除去が指導され特定病害虫が発生する危険性がないことや防除に関して記録することといった輸入検疫条件の内容、輸出国の産地における輸出検疫の手順、輸入検疫の手順などについて規定されている。

＊ 8　梨花芽穂木の採取期間中は、日本の植物防疫検疫機関が採取、集荷、冷蔵の各段階で検査することになっている。

＊ 9　この図で示されているのは、栽培地検査における合格本数であるため、実際に輸出される本数ではない。しかし、輸出するためには栽培地検査で合格する必要があるため、本章ではこの数値を採用する。

＊ 10　JA 全農にいがたは県内で生産された幸水、豊水、新高、新興、あきづきといった品種の梨も輸出しており、2018 年時点で輸出量は 1.6t となっている。しかし、輸出先は香港であり、台湾へ輸出される梨花芽穂木との競合はない。

＊ 11　集荷された梨花芽穂木は、各単位農協の果実保管用の冷蔵倉庫で保管される場合もある。

＊12 新潟県では、梨花芽穂木の輸送手段として航空輸送を選択している。なぜなら、日本からの出荷時期と台湾で接ぎ木をする時期がほぼ重なっており、迅速性が求められるためである。

＊13 3品種の中で、幸水のみ2004年に輸出が開始されている。これら3品種以外については、台湾において味や玉太りといった面での課題があり輸出されていない。

＊14 新潟県の梨花芽穂木の出荷生産者は2016年が298人、2018年が280人となっている。なお、この数値は、台湾へ輸出するために必要な登録認可を受けた生産者数であり、実出荷生産者数ではない。

＊15 この価格は参考価格であり、実際には規格や品種により異なる。

＊16 張（2014）では、日本産と中国産の輸入過程の差異が整理されている。

第3部

文化芸術を起点にした地域創造と国際戦略

飯田星良

第6章
都市化と文化芸術従事者の移動

6-1 │ これまでの日本の文化芸術政策

　第3部では、少し視点を変えて文化芸術を起点にした地域創造について確認していきたい。文化芸術の適用可能性については様々な議論と実証が積み重ねられている。ここではまず政策として文化芸術がどのように捉えられてきたかを一度振り返り、その上で各章においてどのように文化芸術が産業や地域に貢献しているかを議論していきたい。

　文化政策を議論する上でその対象となる文化および芸術はそれぞれ非常に広い概念を含めて語られることが多く、その定義さえ一義的には語れない。文化および芸術活動を包括的に議論した初めての文化振興に関する法律である文化芸術振興基本法が2001年に制定され20年ほどが経ち、社会のあり方の変遷とともに文化芸術に対する考え方も徐々に変化してきた。

　2001年に制定された文化芸術振興基本法は戦後初めて文化芸術活動について議論し、文化権*1の法的枠組みを保証した法律である。同法の中で「文化芸術は、人々の創造性をはぐくみ、その表現力を高めるとともに、人々の心のつながりや相互に理解し尊重し合う土壌を提供し、多様性を受け入れることができる心豊かな社会を形成するもの」であるとされている。

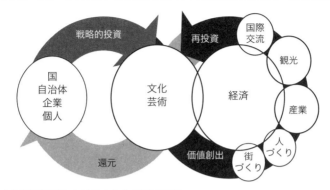

図6・1　文化経済戦略における文化と経済の関係
（出典：内閣官房、文化庁（2017）『文化経済戦略（概要）』p.1）

　しかし、野田や河村らが指摘する[2]ように、文化芸術振興基本法は「振興」
に重きを置かれるがために、観光や産業、地域振興など横断的に活用される文
化芸術の近年の状況を十分に説明しきれていない点など問題点も多く見られた。
そこで、2017 年に文化芸術振興基本法の一部を改正する法律として「文化芸
術基本法」が公布、施行された。新法では文化振興にとどまっていた旧法で運
用しづらかった文化芸術の推進に係る体制の整備を確立し、文化振興にとどま
ることなく、文化芸術によって生み出される多様な価値に着目して総合的かつ
計画的に施策を進めていくことなどが明記されている[3]。

　こうした法律に基づき計画的に施策を実行していくために、日本政府は
2018 年 3 月に文化芸術推進基本計画「文化芸術の「多様な価値」を活かして、
未来をつくる」を策定している。そこでは、文化芸術の社会経済的な価値とい
う形で文化芸術の経済的な価値を指摘している。

　さらに、2017 年には内閣官房と文化庁が「文化経済戦略」を策定した。文
化芸術振興と経済成長の実現を目指すこの戦略は、「文化芸術を基軸として、
国が掲げる成長戦略や観光ビジョン等をはじめ、まちづくりや国際交流、福祉、
教育、産業等関連分野の施策とも積極的に連携させていくとともに、国と地方

自治体、文化芸術団体、NPO、民間事業者等関係者が相互に連携・協働することにより、様々な主体の創意工夫が発揮され、多様な文化創造活動が展開できる環境を醸成する」[*4] としている。この概念図を図6・1に示す。これは今までの、心の豊かさの醸成に重きを置かれている法律よりも一層文化芸術の経済的な貢献に焦点を当てた戦略であり、文化芸術への支援という考え方から文化芸術への投資という考え方に移行してきていることが明確である。

　文化経済戦略は文化芸術と産業の側面に重点を置いた戦略であるが、地域創造との関係がより明示されているのが 2014 年に策定された文化芸術立国中期プランである。プランの中では 2020 年に日本が世界の文化芸術の交流のハブとなるとして、まちづくりの推進や創造都市ネットワーク日本（Creative City Network of Japan：CCNJ）への市町村の参加を促している。CCNJ への参加は 2014 年 3 月時点で 32 自治体であったが、2020 年までには全国の約 1 割の約 170 自治体に増やすことを目標としており、2020 年 3 月時点で 116 自治体にまで増えている。しかしながら、プランで日本が世界の文化芸術の交流のハブとなることを目指している一方で、たとえば UNESCO が 2005 年から提示している「文化的表現の多様性の保護及び促進に関する条約」には批准していないなどその活動は十分に包括的なものとは言い難いのが現状である。

　ここまでは文化芸術に対する法律と日本政府の政策を確認してきた。以上で示したものはごく一部であるが、本書は文化政策に特化したものではないため、包括的な議論には踏み込まない。これまでの流れを踏まえて、以降では人の移動という側面から文化芸術を捉え直し、芸術従事者の移動に焦点を当てて議論を進める。また、続く第 7 章では地方の文化政策と、アーティストインレジデンスなどを含めた芸術祭の開催や海外の芸術団体の招聘など海外とのつながりを持った全国各地での文化芸術活動事例を取り上げ、分析したい。

6-2 | 全国的な人の移動傾向

　ここでは、都市化が進む中で全国的に芸術家がどのように活動しているのか把握することを目的に、その移動に着目する。野田が「アーティスト（中略）が一定のボリュームに達した段階で、彼らが醸し出す自由な気風が地域へと波及し、地域の文化的環境を変えていく。そこから、アートに限らない新しい価値創造が連鎖的に起こるようになる」[*5] としているように、一般的に都市化が進む中でも、芸術家が地方で恒常的に芸術活動に従事することで、関係者や享受者を惹きつけ、地方活性の一助となることが期待される。そこで芸術家の活動拠点を把握するために、国勢調査で職業を美術家、写真家、音楽家、俳優などの芸術家と回答した人全体について確認することで、一事例では見えてこない全体の傾向を探る。

　ただし文化芸術に焦点を当てる前に、文化芸術が地域活性化において注目されるようになった背景となる都市化の現状について一度確認をしておきたい。少し回りくどくなるものの、日本全体のデータを確認しておくことで、以降の事例の価値がより浮き彫りになるものと考える。

1　都市化

　2020 年 1 月 1 日時点で、総務省の「住民基本台帳に基づく人口、人口動態及び世帯数」[*6] を確認すると人口の多い都道府県は上から東京都、神奈川県、大阪府、愛知県、埼玉県、千葉県、兵庫県、北海道、福岡県と続き、この 9 都道府県はいずれも人口 500 万人以上である。1 億 2700 万人の総人口の 54％がこの 9 都道府県に集積している計算となる。

　その中でも東京都はその人口割合がひときわ高く、日本全体の 11％の人口が東京都に集中している。図 6・2 は総務省が 5 年ごとに行っている国勢調査のデータを参考に県別の人口割合の変遷を 1945 年から 2015 年まで 5 年ごとに示したグラフである。東京都においては 1945 年から 1965 年にかけて一気

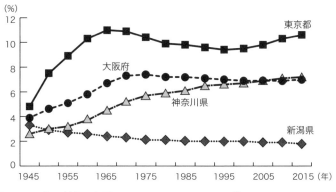

図6・2　人口割合の変遷（総務省『平成27年国勢調査』*7をもとに筆者作成）

に人が流入し1990年代にかけて一度落ち込んだもののここ20年の間は継続的に上昇傾向にあることがうかがえる。地方都市の例として後述する新潟県は、人口で見ると220万人に及び全国15位（2015年）であるが、割合で見ると常に下降傾向であることがわかる。

　こうした人口の集中地域が生じるのは、1つ目に国内からの転入者＞転出者となっている場合、2つ目に国外からの人が流入している場合が考えられる。住民基本台帳人口移動報告を確認すると、図6・3に示すように東京都は60年代に最も多くの人が転入して、60年代から90年代には転入者と同程度かそれ以上転出している。一方で2000年代以降になると徐々に転入者よりも転出者数が減っており、近年の人口増加は東京都から他道府県に転出する人が減っていることに起因することがわかる。

　次に、国外から人が流入している場合を検討する。統計局の社会・人口統計体系*9を確認すると、図6・4に示す通り、まず、外国籍の人口は統計データがまとめられている1980年から2015年まで一貫して増加している。次に地方別に見ると、1980年代は関西地方における外国籍の人数が最も多かった。そこから特に東京都と関東地方および中部地方での人数が増え、2015年には関西地方、中部地方、東京都と関東地方で全国の外国籍の人の約86％を占めている。特に東京都は一都だけで関西地方や中部地方とほぼ同じだけの外国籍

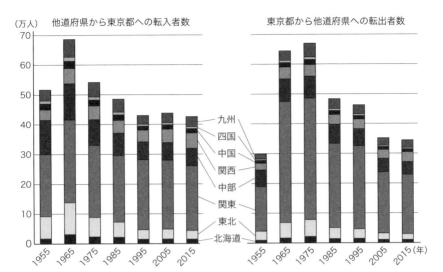

図 6・3　10 年おきに見る東京都の流出入者数の変遷
(総務省『住民基本台帳人口移動報告』＊8をもとに筆者作成)

人口が集中するほどである。

2　集積の経済

　これまで見てきたように、東京都を中心とした関東圏へ国内外を問わず人が集中してきており、近年は特に出ていく人が少なくなっていることはデータから明らかに読み取れる。このような人口集積が生じる要因の 1 つに「集積の経済」という

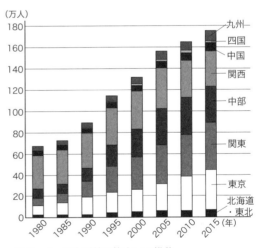

図 6・4　地方別外国籍人口の推移
(統計局の社会・人口統計体系をもとに筆者作成)

考えがよく指摘される。これは多数の企業が同一地域に集まることによって、移動やコミュニケーションにかかる費用を減らすことができるなど市場取引

を介さずに得られる利益があることを示している。

　これは消費という面でも供給という面でも、文化芸術に当てはまる考え方である。代表的なのが東京の下北沢駅近辺の劇場であろう。演劇の街とも言われる下北沢には、駅周辺200mの範囲に、本多劇場グループ*10を中心に11もの劇場が寄り集まっている。演劇従事者はたくさん劇場が寄り集まる下北沢に行けば培ってきたスキルを活かすことができる。さらにそれぞれ劇場の特徴が異なるため、演劇従事者は作品の特徴に合わせた劇場を選択することが可能であり、それが作品の質を押し上げていると考えられる。また、鑑賞者にとって劇場の多さは新たな作品との出会いの創出に直結しており、下北沢に行けば何かしらの演目が上演されているという状況がつくり上げられている。

　特に、芸術家にとってその活動の幅は人的ネットワークに左右されることが多い。ある舞台で主演を張っていることで知名度が上がり別の舞台への出演依頼につながったり、馴染みの団体や類似の団体の公演に招待または友情出演したりする。名が知れた公演などでのオーディションやコンクールへの挑戦も顔が知られるきっかけとなる。もちろん知名度だけでなく舞台にあがる経験が多ければ多いほどその時の関係者などから学ぶことは多いため、創作・出演機会は表現者のスキルを高める。また、舞台の枠にとどまらず学校や地域でのワークショップに力をいれている場合はそのフィードバックや評判によって継続的な活動につながる。周りの場や環境が整備されていた方がこうした経験の機会は創出されやすい上に、公演を打つ場所やワークショップ実施箇所が複数あることは、活動が継続できなくなるなどのリスクの分散にもつながる。これらの理由から、芸術家にとってもある程度人口が集積している場所の方が活動しやすいことが考えられる。

6-3 ｜ 芸術家人口の移動

　次に、芸術家が全国のどこに集まっているのかを確認しておきたい。国勢調査において職業をデザイナー、彫刻家・画家・工芸美術家、写真家・カメラマ

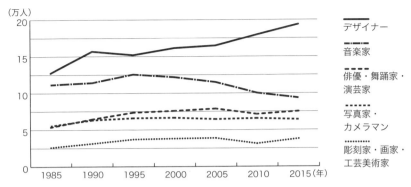

図6・5　全国の芸術家人口の推移 <small>(各年の国勢調査*11 をもとに筆者作成)</small>

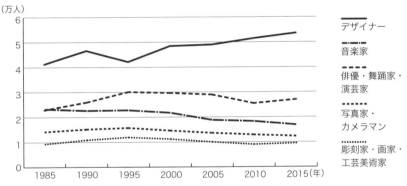

図6・6　東京都の芸術家人口の推移 <small>(各年の国勢調査*12 をもとに筆者作成)</small>

ン、音楽家（個別指導を行う教師を含む）、俳優・舞踊家・演芸家（個別指導を行う教師を含む）と回答した人数をまとめた。図6・5は全国の芸術家の人数、図6・6は東京都在住の人数を示す。

　人数を比較すると職業によって差異はあるが東京都では全国の3〜4割の芸術家が活動していることがわかる。全国と東京都の芸術家人口の推移を比べると、デザイナーおよび俳優・舞踊家・演芸家の推移の傾向は似通っていることがわかるが、彫刻家・画家・工芸美術家、写真家・カメラマン、音楽家においては全国の傾向と東京都の傾向は異なっている。デザイナーは全国的にも東

京都においても、多少の増減はありつつも増加傾向にある。東京都で特徴的なのは俳優・舞踊家・演芸家の数で、全国的に見るとデザイナーの次に多いのは音楽家であるが、東京都では音楽家よりも俳優・舞踊家・演芸家の数が1万人ほど多い。2015年時点で全国におよそ8万人いる俳優・舞踊家・演芸家のうち、3万人弱が東京都にいる。音楽家は東京都では1985年から、全国では1995年から年々その数を減らしている*13。

　彫刻家・画家・工芸美術家においては全国的に見るとその数を増やしているが、東京都で見ると1995年から2010年までは減少傾向が続いた。写真家・カメラマンも同様で、全国的には徐々にその数は増えているが、東京都では1995年をピークに減っている。

　美術家や写真家は全国的な傾向を東京都が必ずしも反映していないということは、東京都以外の地域で数が増減していることにほかならない。地域の特色を見出し反映した作品を展示するようなアートフェスティバル・芸術祭や、表現者が地域で過ごすことで地域文化やそこの住民の理解を深めながら作品づくりに向き合うアーティストインレジデンスなど、創作活動を通じて地域の魅力を再発見、再提示する事例が増えてきている。そうした創作活動の場の提供が地方における芸術家の呼び込みやひいては育成に一役買っているのかもしれない。

　芸術を活用した地域創造につながる取り組みは次章で具体的に確認するが、たとえば日本で最も長い間開催されてきた芸術祭として、北川フラム氏が総合ディレクターを務め新潟県で行われている「大地の芸術祭　越後妻有アートトリエンナーレ」がある。現地でしかつくることができない作品を提示する芸術祭などで、美術家などの活躍の場が地方に移っている可能性がある。大地の芸術祭は2000年に初めて開催されているため、その前後の新潟県の芸術家人口の推移を図6・7に示す。

　人数を比較すると、新潟県の芸術家は全国の10〜20分の1程度の人数にあたり、その傾向は東京都の場合と非常に異なることがよくわかる。まず、2010年までで最も多い芸術家はデザイナーではなく音楽家である。2005年か

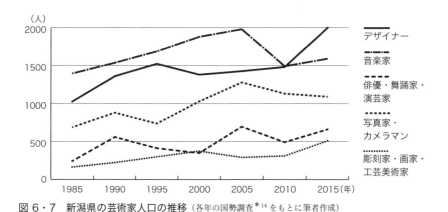

図6・7　新潟県の芸術家人口の推移（各年の国勢調査*14をもとに筆者作成）

ら2010年にかけて音楽家が大幅に減り、2010年から2015年にかけてデザイナーの数が急増している。さらに、東京では減少傾向にあった写真家・カメラマンや彫刻家・画家・工芸美術家は増減を繰り返しながらも大局的には増加傾向にある。全国的な傾向よりも相対的に写真家の数が多いのも特徴的である。

　これらの傾向は2000年以前から続いているため、芸術祭に起因するとは論及できないが、地方でも芸術家の活動が活発化していることは推測できるのではなかろうか。芸術家数の地方別の推移を図6・8に示す。音楽家・舞台芸術家の場合2005年から2010年にかけて大きく乖離しているのは、2010年から音楽家と舞台芸術家の集計方法がかわったため、大分類*16の中では個人教師として活動する方々の数が含められていないためである。

　図6・8を見るとまず関東地方、中部地方、九州地方で美術家・写真家・デザイナーの数が近年増えていること、全体的にも美術家・写真家・デザイナーを職業とする人口が1985年から継続的に増えていることが確認できる。1985年から2015年にかけての30年間で10万人増えており、日本の美術家・写真家・デザイナーの層が厚くなっていることがうかがえる。一方で音楽家・舞台芸術家については、1995年までは増加傾向であったが2000年、2005年はその数を減らしている。また、地域別にはその変遷に大きな差はないことがうかがえる。

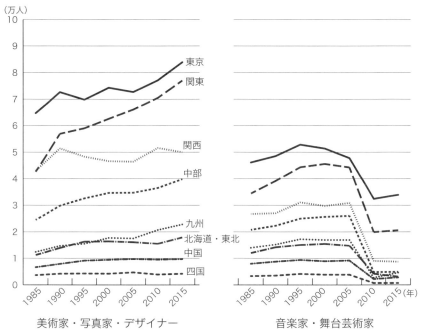

（万人）

東京
関東
関西
中部
九州
北海道・東北
中国
四国

美術家・写真家・デザイナー   音楽家・舞台芸術家

図 6・8　地方別の芸術家人口の推移（各年の国勢調査[*15]をもとに筆者作成）

　ここで示した数字は、国勢調査で職業を芸術家と回答した人の数値である。
そのため、アマチュアで活動する方や副業として芸術活動に従事する方の情報
は必ずしも反映されていない。プロの芸術家が日本の創作活動をけん引してき
たことは疑いのない事実であるが、SNS での発信も含めて創作活動に従事し
ているのは今回確認した人数だけでないことは改めて明記しておきたい。

6-4 ｜ 海外の芸術家の入国数

　最後に、海外からの芸術家の流入を確認する。法務省の出入国管理統計によ
ると入国外国人数はここ 10 年継続的に増加しており、2016 年でその総数は
2300 万人である。その中で「芸術」または「文化活動」に従事するものとし

て在留資格を得た外国人数の推移を図6・9にまとめた。収入を伴う芸術上の活動に従事するために日本に滞在する場合に、「芸術」での在留資格が認められる。芸術上の活動には、創作活動を行う作曲家、作詞家、画家、彫刻家、工芸家、著述家および写真家などの芸術家であること、または、音楽、美術、文学、写真、演劇、舞踊、映画、その他の芸術上の活動について指導することが該当する。一方、芸能を公衆に披露することで収入を得る場合には、「興行」の在留資格に該当し、収入を伴わない場合は「文化活動」の在留資格に該当する。「興行」については該当範囲が広く「芸術」および「文化活動」よりも該当数がはるかに多くなる。図の視認性を担保するためおよび議論の拡散を防ぐために今回は「興行」には言及しない。

2005年までは再入国者と新規入国者の区別がなかったため、図6・9では総数のデータのみ示す。芸術活動のために入国する外国人の数は1000人前後で推移しており、入国者の総数を考えるとその割合は非常に少ない。人数の推移を確認すると2002年から2012年までの10年間ほとんど変化せず、2014年

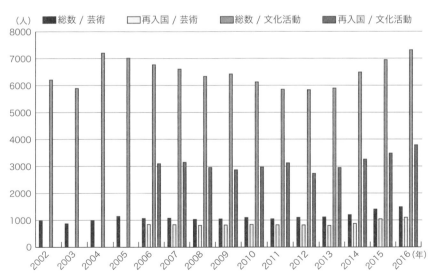

図6・9　在留資格が「芸術」または「文化活動」の入国外国人数推移
（法務省『出入国管理統計』[17]をもとに筆者作成）

から2016年までは少し増加傾向にある。

　また、特徴的なのは再入国者数の割合が非常に高いことである。「文化活動」と比較しても再入国者の割合の高さは際立っている。理由としては、日本で芸術活動を行うことを希望する海外の芸術家の拡充に課題がある場合と、芸術を理由に入国する際の審査が厳しい場合が考えられる。入管・ビザ手続き代行オフィスのホームページを確認すると「芸術」の在留資格を得るためには、

1. 入選・受賞歴、指導歴など、従事する芸術活動に相当の業績があること
2. 従事する芸術活動のみで安定した生活を継続できるだけの収入（月25万円程度）が見込めることが立証できること

の2つの要件が満たされていることが不可欠であるという[18]。2つ目の要件を満たすためには、安定的に雇用されることが決まった上で申請する必要があり、その機会の確保が困難な可能性が高い。

　「文化活動」においては、芸術活動よりも対象とする範囲が広いため、その数が多くなることは想像に難くない。芸術活動の6〜7倍の外国人が文化活動を理由に日本に入国している。2004年と2016年には7000人ほど入国しているが、2012年前後にはピーク時と比べて1000人以上落ち込みV字型のグラフになっている。その変化に急激なものはなく、要因の追求は難しい。近年の伸びに関してはたとえばインバウンド事業の拡充や東京オリンピックが決定した2013年以降特に多言語対応などに注力している日本での活動に興味を持つ人数が増えたことなどは考えられる。再入国者の割合はおおよそ半分弱ほどにとどまっており、新規に在留資格を得て入国する外国人も一定割合いることがうかがえる。

　次に図6・10に、在留資格が「芸術」および「文化活動」である外国人数を活動する地方別に見た推移を示す。「芸術」で在留資格を得た人の20％程度は東京都に滞在している。経年で見ても全体的に特に大きな変動はなく、一定の割合の芸術家が常にどの地域にも活動していることがわかる。強いて挙げるならば2013年から2019年まで東京都では少しずつ活動する芸術家が増加傾向にある。

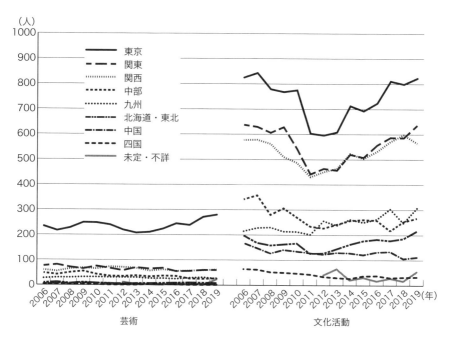

図6・10　在留資格が「芸術」または「文化活動」の外国人数の地方別推移
（法務省『在留外国人統計』[19] をもとに筆者作成）

「文化活動」で在留資格を得た人の推移を確認すると、2010年から2011年で、特に東京都で活動する人数が一気に落ち込んだことがうかがえる。この時期は北海道・東北地方でも例年より活動者数が減っていることからも東日本大震災の影響で渡航を控えた人が出たものと推察される。ただし、東京都を除いた関東地方と関西地方でも2011年の活動者数は最も少ない値を取るが、この下降傾向は2007年ごろから継続しており、一概に震災の影響とは言い難い。ほとんどの地方で2012年以降は増加傾向にあるものの中国地方と四国地方ではやや減少傾向にある点が特徴的である。

また、「芸術」と「文化活動」を比較した場合、「芸術」で在留資格を得た人の方がより東京都に集中する傾向がある。「文化活動」では東京都を除いた関東地方と関西地方、中部地方と九州地方がそれぞれ近接しながら東京都を追随

している。「芸術」と「文化活動」は、芸術上の活動に従事するにあたり収入を伴うかどうかで異なる。安定した雇用契約を得るという観点では、東京都の方が機会の拡充が進んでいる可能性が高い。収入を得るまでは難しくとも芸術的・文化的活動を行う人は中部地方や九州地方を拠点にする人も増えてきている状況がうかがえる。

6-5 | 芸術家の地方への受け入れ

　地方創生が言われて久しいが、いまだに大局的には都市化が進んでいる。特に東京都から他地方に出る人の動きが減っている現状の改善を図るためには地方の魅力発信や活性化が欠かせない。地方から流出する人口を減らし、都市からの移住を促進したり、海外から地方への移住者を増やすためにも地方の魅力の再発見およびその発信が肝となる。筆者は芸術活動がその一助となると考え、本章ではまず国内外の芸術家の活動地域を確認した。職業別の芸術家人口の推移から、必ずしも東京の動きが全国の傾向を反映していないこと、地方で増えている芸術家関係の職業があることを確認した。さらに、特に海外の芸術家が地方で活動するためには安定した収入が得られるポジションの確立が必須であることが推察された。

　地方自治体に求められる役割は芸術家の雇用を促すための創作活動機会の確保だろう。地域の魅力の探索、イベントを開催できるような場の模索、今後地域を牽引していけるような担い手育成のためのワークショップの開催など芸術家が担える役割は幅広い。芸術家と連携をとってその視点を活用することは地域イノベーションをももたらす動きとなるだろう。勿論、芸術家はさらなる表現を求めて拠点を変えるかもしれない。それでも良いと受け入れられる心構えと体制を整えることが、他都道府県との差別化を図る戦略の1つとなりうる。

　芸術そのものの魅力である多様性と社会課題提示の有用性、芸術活動を通した地域文化施設の活用や地域住民を巻き込んだ地域の活性化には一定の評価がなされてきている。文化芸術の活用は進んできているもののまだ始まったばか

りで、その適用可能性の幅広さから各地域での今後のさらなる活用が期待される。次章ではその具体的な活動例を確認していきたい。

[注]

* 1　文化権とは国際社会で議論が進められてきた人権の一種である。世界人権宣言第 27 条では「すべての人は、自由に社会の文化生活に参加し、芸術を享受し並びに科学的進歩及びその恩恵を共有する権利を有する」と規定され、文化権の考え方の基盤となっている。文化権の議論については中村美穂「文化権」（小林真理編著『文化政策の現在 1』東京大学出版会、2018）に詳細に記述されている。
* 2　文化芸術振興基本法に対する問題点の指摘などは野田邦弘『文化政策の展開　アーツ・マネジメントと創造都市』（学芸出版社、2014）や河村建夫、伊藤信太郎編著『文化芸術基本法の成立と文化政策　真の文化芸術立国に向けて』（水曜社、2018）に詳細に記述されている。
* 3　文化庁ウェブサイト「文化芸術基本法　新旧対照表」（https://www.bunka.go.jp/seisaku/bunka_gyosei/shokan_horei/kihon/geijutsu_shinko/pdf/kihonho_taishohyo.pdf）を参照のこと。
* 4　内閣官房・文化庁（2017）『文化経済戦略』（https://www.bunka.go.jp/seisaku/bunkashingikai/kondankaito/bunkakeizaisenryaku/pdf/r1408461_01.pdf）p.5
* 5　野田邦弘（2020）「アートが地域を創造する」野田邦弘、小泉元宏、竹内潔、家中茂編著『アートがひらく地域のこれから　クリエイティビティを生かす社会へ』ミネルヴァ書房、p.62
* 6　総務省「住民基本台帳に基づく人口、人口動態及び世帯数」（https://www.soumu.go.jp/main_sosiki/jichi_gyousei/daityo/jinkou_jinkoudoutai-setaisuu.html）を参照のこと。
* 7　総務省『平成 27 年国勢調査　最終報告書「日本の人口・世帯」統計表』のうち「人口及び人口の指数−全国、都道府県」（https://www.e-stat.go.jp/dbview?sid=0003411191）をもとに作成した。
* 8　政府統計の総合窓口（e-Stat）データセットより、総務省『住民基本台帳人口移動報告』（https://www.e-stat.go.jp/stat-search/files?page=1&layout=datalist&toukei=00200523&tstat=000000070001&cycle=0&tclass1=000001051218）をもとに作成した。
* 9　統計局ウェブサイト「統計でみる都道府県・市区町村のすがた」（社会・人口統計体系）のうち「都道府県データ 基礎データ」（https://www.e-stat.go.jp/dbview?sid=0000010101）を参照のこと。
* 10　本多劇場グループは、本多劇場、ザ・スズナリ、駅前劇場、OFF・OFF シアター、「劇」小劇場、小劇場楽園、シアター 711、小劇場 B1 の 8 種類の劇場を取りまとめている。各劇場の詳細は本多劇場グループウェブサイト（http://www.honda-geki.com/index.html）を参照のこと。
* 11　e-Stat データセットより「国勢調査／時系列データ／人口の労働力状態、就業者の産業・職業」の「職業（小分類）、従業上の地位（7 区分）、男女別 15 歳以上就業者数−全国（昭和 60 年〜平成 27 年）」（https://www.e-stat.go.jp/stat-search/files?page=1&layout=datalist&toukei=00200521&tstat=000001011777&cycle=0&tclass1=000001011807）をもとに作成した。
* 12　1985 年〜 2015 年の国勢調査における東京都の「抽出調査票による就業者の職業（小分類）」（https://www.e-stat.go.jp/stat-search?page=1&toukei=00200521&survey=%E5%9B%BD%E5%8B%A2%E8%AA%BF%E6%9F%BB）をもとに作成した。
* 13　2010 年以降、国勢調査の調査内容が変わった。2005 年までは音楽家は「音楽家（個人に教授するものを除く）」「音楽家（個人に教授するもの）」、俳優などは「俳優、舞踊家、演芸家（個人に教授するものを除く）」「俳優、舞踊家、演芸家（個人に教授するもの）」という枠組みであったが、2010 年以降は個人に教授するものに関しては、「個人教師（音楽）」または「個人教師（舞踊、俳優、演出、演芸）」を選択するという枠組みになっており、選択肢が変わったために回答傾向に変動が見られる可能性はある。
* 14　1985 年〜 2015 年の国勢調査における新潟県の「抽出調査票による就業者の職業（小分類）」（https://www.e-stat.go.jp/stat-search?page=1&toukei=00200521&survey=%E5%9B%BD%E5%8B%A2%E8%AA

A%BF%E6%9F%BB）をもとに作成した。

* 15　1985 年〜 2015 年の国勢調査における「抽出調査票による就業者の職業（小分類）　都道府県データ」
　　　（https://www.e-stat.go.jp/stat-search?page=1&toukei=00200521&survey=%E5%9B%BD%E5%8B%A2
　　　%E8%AA%BF%E6%9F%BB）をもとに作成した。

* 16　データ集計の都合上、職業の分類はこれまで見てきた小分類と異なり大分類となる。美術家・写真家・デ
　　　ザイナーには小分類での彫刻家・画家・工芸美術家、写真家・カメラマン、デザイナーが含まれ、音楽家・
　　　舞台芸術家には俳優・舞踊家・演芸家、音楽家が含まれる。e-Stat で提供されている都道府県データでは
　　　データの特性上、芸術関係の個別指導をしている教員を抽出することができない。

* 17　法務省『出入国管理統計　出入（帰）国者数』のうち「国籍・地域別　入国外国人の在留資格（年次）」（https://
　　　www.e-stat.go.jp/dbview?sid=0003288048）をもとに作成した。

* 18　アイソシア行政書士事務所 入管＋ビザ手続き代行オフィスウェブサイト「在留資格の種類　芸術」（https://
　　　visa-immi.com/list/artist/）を参照のこと。

* 19　法務省「在留外国人統計」（http://www.moj.go.jp/housei/toukei/toukei_ichiran_touroku.html）をもとに
　　　作成した。

第7章

越境する芸術と地域創造

7-1 | 地域における文化政策

　本章では地方における芸術の海外も含めた社会との関わり方を確認することを目的とする。そのためにまず地方自治体が主体となって行われる文化行政についてまとめ、次に地方における文化芸術、特にダンスや演劇、オーケストラなどのパフォーミングアーツと社会との接点を探る。

　地域活性の文脈でも芸術振興の文脈でも、地方における文化行政として、地域における文化芸術活動の振興のための活動は、多岐にわたり精力的に取り組まれてきた。たとえば1986年から毎年の各都道府県での国民文化祭の開催、舞台芸術の魅力発見事業としてその鑑賞機会の充実、地域文化芸術情報のプラットフォームの整備、地域の伝統文化の尊重などである。文化庁が「地域における文化芸術の振興」として挙げている文化活動支援の内容を表7・1にまとめる。

　都道府県の担当部署を明らかにするために、文化庁は2017年度までは文化振興全般、芸術文化、文化財保護、国際文化交流という4つの観点から、2018年度からは文化政策全般、芸術文化、文化財保護、国際文化交流、博物館の5つの観点からそれぞれを所管する主体を一覧にまとめている[*2]。たと

表 7・1　地域における文化活動支援事業一覧

地域における文化活動への支援

1. **全国規模の祭典**
   1-1 国民文化祭
   1-2 全国高等学校総合文化祭
2. **地域文化の活性化**
   2-1 舞台芸術の魅力発見事業
   2-2 地域文化芸術情報オンライン整備事業
3. **各地域ごとの取組への支援**
   3-1 文化のまちづくり事業
   　　（旧：地域芸術文化活動活性化事業）
   3-2 「国際音楽の日」記念事業
4. **地域の伝統文化の振興**
   4-1 伝統文化を活かした地域おこし
   4-2 ふるさと文化再興事業
5. **地域レベルでの人材の育成**
   5-1 アーティスト・イン・レジデンス事業
   5-2 「文化芸術による創造のまち」支援事業
6. **文化ボランティアの推進**

出典：文化庁[1]

えば東京都の場合、文化財保護は地域教育支援部管理課が担当し、それ以外の項目は生活文化局文化振興部企画調整課が担当する。新潟県のように文化政策全般は県民生活・環境部文化振興課が、芸術文化と国際文化交流については教育庁文化行政課と県民生活・環境部文化振興課が、文化財保護と博物館については教育庁文化行政課が担当するなど一部の区分で担当部局が明確にわかれていない場合もある。

　それぞれの文化行政区分を所管する主体は都道府県ごとに名称なども含めて異なる場合が多く、また教育委員会と知事部局など複数の部局が重なりながら業務に携わるところもある。現状のように各都道府県で対応する主体が変わることは、文化芸術の推進に向けて効率的な連携の仕方が望める状況とは言えないものの、こうした一覧を共有することは体制を整備していく上で不可欠な過程である。

　また、文化政策は自治体が実施する文化行政のほかに民間の文化芸術に対する取り組みも含めて語られる。民間の文化芸術活動およびアート NPO など民間団体を含めた支援活動や振興活動は枚挙にいとまがない。芸術活動とその享受者を引き合わせる取り組みの 1 つとして文化庁はオリンピック・パラリンピックを契機として文化情報プラットフォーム「Culture NIPPON」[3] を展開した。Culture NIPPON では、全国の民間主体のあらゆる文化プログラムが登録・発信されており、誰でも興味に応じて検索し、アクセスする機会が確保されている。これまでも民間主体で情報プラットフォームは様々に拡充され

てきた。たとえば、イベントを総合的にまとめた Walker ＋（ウォーカープラス）や、芸術活動の中でも美術館の展覧会に特化して情報を提示している artscape、チケット販売と合わせて演劇やミュージカルなど舞台芸術の情報プラットフォームとなっているチケットぴあ、CoRich（コリッチ）などである。芸術家と享受者とを引き合わせるこうしたプラットフォームは、その周知が十分であるかは疑問が残るものの享受者が目的別に使い分けつつ多様な文化芸術に触れる機会を創出する点で非常に有用であると考える。

7-2 地方での芸術享受

　今見てきたように、広範囲をカバーする文化政策により地方における文化の発信や地方で活動する芸術家と享受者とのマッチングなどが進められてきた。芸術と社会の接続の場は、大きく分けて創作活動の発表の場とその技術を伝える教育の場が考えられる。それぞれどのように享受する機会が確保できるのかそのイベントや施設の現状を確認していきたい。

1 地方での文化芸術の鑑賞

　まず各地で開催されている文化芸術イベントについて把握するため、Culture NIPPON を用いて開催されているイベントを実際に調べてみる。イベントは期間、カテゴリ、地域、キーワードなどを指定して検索することができる。カテゴリは、beyond2020、公認文化オリンピアード、応援文化オリンピアード*4、日本博、展覧会、公演、上映会、講座、講演、ワークショップ、シンポジウム、お祭り、その他に分かれている。公演カテゴリで過去のものも含めて検索すると 2016 年から 2022 年までの公演イベント数は 5955 件登録されていた（2020 年 9 月時点）。2019 年 1 月から 12 月までの 1 年間では、1976 件の公演が登録されており、そのうち関東地方での企画は 752 件と全体の 4 割弱で、関西地方も含めると 1044 件と、半分以上が関東地方と関西地方で企画されたことがわかった。

次に、文化芸術の供給と需要がマッチングする場所に着目する。パフォーマンスの場は必ずしも会館やホールに限らず神社や野外で行われる事例もある。ただそのすべてを網羅的に把握することはかなわず、議論をシンプルにするため会場を利用した公演に議論を絞りたい。

　1980 年代後半に盛んに行われたいわゆるハコモノ行政と言われる公共施設の建設により、良くも悪くも全国的にあまねく公立文化施設が存在する。全国劇場・音楽堂等総合情報サイト *5 に登録されている公会堂、文化会館・文化センター、ホール、音楽堂は現在全国で 2189 館ある。地方ブロック別に見ると、北海道・東北地方で 315 館、関東甲信越地方で 669 館（うち東京は 108 館）、東海北陸地方で 291 館、近畿地方で 324 館、中国・四国地方で 287 館、九州地方で 303 館と地域によってばらつきはあるものの人口比を踏まえるとそれほど大きく偏っているわけではないことがうかがえる。なお、都道府県別に見た時に最も少ないのが鳥取県の 15 館、最も多いのが北海道の 116 館である。国土交通省が公開している国土数値情報の中の文化施設データ *6 で確認しても、文化会館・文化センター、ホール、音楽堂は日本全国を埋め尽くすほどの数があることが一目瞭然でわかるほどである。

　公益社団法人全国公立文化施設協会は劇場、音楽堂等の規模や活用情報を収集し『令和元年度　劇場、音楽堂等の活動状況に関する調査 報告書』*7 を発行している。調査は国公立施設（2194 施設）と私立施設（295 施設）に調査票を送付し、それぞれ 1374 施設と 117 施設から得た有効回答を集計している。報告書によると、対象施設全体の 2018 年度の平均利用可能日数 313.3 日のうち、実際の利用日数は 250.7 日で、稼働率は 79.4％である。その中で 10 万人未満の市・特別区の施設利用状況の平均では、該当する 409 館の施設稼働率が 76.5％、施設が持つ 555 室のホール稼働率は 51.0％にとどまる。都市規模が大きくなるほど稼働率が高くなっている傾向があり、政令指定都市の場合、施設稼働率 86.4％、ホール稼働率 70.0％と比較的その値が高いことがわかる。また、外国人向けの多言語対応は 13％（政令指定都市でも 36.1％）と外国人需要の拡充にはまだまだ課題が残る。

2 地方での文化芸術の経験

前章でも触れた通り、芸術家の中には創作活動に従事する場合と個人教師として活動する場合がある。創作活動の発表の場以外で、文化芸術を受容できる場が習い事などで利用する全国のスタジオなどである。全国のどこに拠点があり、習い事を希望する人がアクセス可能な状況になっているのか実態把握に努めることは有意義である。ただし、民間の芸術団体の拠点を網羅したデータは国土数値情報にもまとめられておらず、正確な値の把握は難しい。ここでは一部の情報だけではあるが、文化芸術関係の習い事で需要も高いものとしてバレエを取り上げ、全国にあるバレエスタジオの位置を確認したい。

公益社団法人日本バレエ協会は、1958年の設立から日本バレエの確立と振興および日本の芸術文化の向上発展に寄与することを目的として、バレエの普及や人材育成に努めている。関東地区を拠点に全国に支部を構え、協会に所属する会員は約2600名ほどである。団体に所属するバレエスタジオは地区ごとに「全国バレエスタジオ案内」にまとめて記載されている。その情報をもとに、各地でどれほどのバレエスタジオがあるのかプロットしたものを図7・1に示す。

拠点が関東地区であることもあり、やはり関東地区におけるスタジオの数は多くなっている。沖縄にも数件のスタジオの存在が確認できるなど、各都道府県に日本バレエ協会に所属するスタジオがあることが確認できるが、一部地域においては周囲に該当するスタジオがなくアクセスの確保に難があることがうかがえる。ただし、カルチャーセンターなどを活用しスタジオを持たない団体や、日本バレエ協会に入っていない団体などを含めると、習い事としてバレエにアクセスできる機会が広く確保されるよう努力が続けられている。

こうしたスタジオが各地にあることにより、幼少期から文化芸術に触れる機会が創出され、機会の平等が保証されるようになる。また、地域レベルでの人材育成、文化芸術享受者の拡大につながっていくものと考えると、地方においても一流の教育が受けられる機会の一層の拡充が求められる。

2012年に施行された「劇場、音楽堂等の事業の活性化に関する法律」（通称：劇場法）では、前文で「我が国の劇場、音楽堂等については、これまで主に、

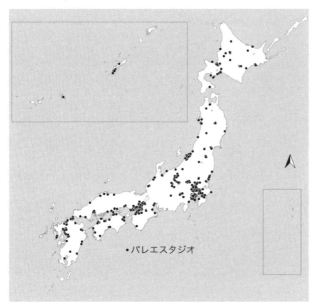

図7・1 全国のバレエスタジオ
（日本バレエ協会資料および OpenStreetMap を用いて筆者作成）*8

施設の整備が先行して進められてきたが、今後は、そこにおいて行われる実演
芸術に関する活動や、劇場、音楽堂等の事業を行うために必要な人材の養成等
を強化していく必要がある。また、実演芸術に関する活動を行う団体の活動拠
点が大都市圏に集中しており、地方においては、多彩な実演芸術に触れる機会
が相対的に少ない状況が固定化している現状も改善していかなければならな
い」としている。

　劇場や文化施設における稼働率およびスタジオなどの文化芸術接触の場の双
方で都心と地方における差異があることが確認された。地方における一層の芸
術鑑賞・経験の機会の拡充については引き続き議論の余地があるだろう。

7-3 ｜ 海外と関わる芸術活動と地域創造

　本節では、海外の芸術家などと協力しながら地方で活躍している芸術団体や

活動事例を具体的に確認していきたい。海外との関わりという点では、芸術家が来日して日本で創作する場合、芸術家が海外でつくった作品を持ち込む場合、日本の芸術家・芸術作品の海外公演・展示を行う場合、海外の人とともに作品をつくり上げる場合が考えられる。

　前節で確認したように、地方自治体による文化芸術振興プログラムは非常に多様である。地元のカフェと併設するようなギャラリーの存在なども含めて、文化芸術が地域創造の一助となっている事例を網羅的に示すことは現実的ではない。ここではダンスや演劇、オーケストラなどパフォーミングアーツの分野で、本書のテーマである地方で活動し直接海外と連携しながら地域創造に貢献している事例をいくつか紹介したい。

　海外の芸術家の作品も含めて展示やパフォーマンスを大々的に行う各地芸術祭、芸術家が特定の場所に滞在してその場の文脈に沿った創作活動に従事するアーティストインレジデンス、地方で発表の場を構えて独自の作品発表や各地の芸術団体の作品誘致をする団体、海外の団体とコラボレーションして1つの作品をつくり上げる芸術団体の活動を順に取り上げる。

1　芸術祭

　音楽祭、演劇祭、芸術祭、ビエンナーレ、トリエンナーレなどは、世界各国で行われており、世界中の人々を惹きつけるアートイベントとして受け入れられている。作品が一堂に会すことで普段見に行かない系統のパフォーマンスにも触れることになる。芸術家からすれば自分の活動機会の拡充が望める上、分野を越えて他の芸術家とのネットワークを構築する機会であり、享受者からすれば1か所で様々な作品に触れられることが魅力である。

　日本の芸術祭で最も長く続いているといわれているのが「大地の芸術祭　越後妻有アートトリエンナーレ」である。2000年から3年に1度、国内外の芸術家の作品展示やパフォーマンスを集結させている。この芸術祭では空き家や廃校を活用した展示もある。特に、2003年以降毎回、廃校となった小学校や中学校を利用した作品が展示されており、芸術を通じた地域が持つ文化施設の

活用や、地元の方々の記憶の継承にも一役買っていることがうかがえる。

　北川フラム氏と大地の芸術祭実行委員会が監修する記録集『大地の芸術祭越後妻有アートトリエンナーレ2018』（現代企画室、2020）によると2018年の第7回展では44の国と地域の芸術家による379点の作品、パフォーマンスが展開されたという[*9]。海外からの来場者も多く、2018年の「大地の芸術祭」総来場者数約55万人のうち、8.7%が海外からの来場者で構成されている（県内からの来場者は約30％、関東地方からの来場者は約40％）。この記録集は全編にわたって日本語と英語で表記されており、かかわった芸術家はもちろん海外メディアにも芸術祭の内容が届くように尽力されている。

　アジア地域とのかかわりを強く持ちながら展開する芸術祭に瀬戸内国際芸術祭がある。瀬戸内国際芸術祭は瀬戸内海に浮かぶ12の島と高松港、宇野港周辺を会場として、2010年の第1回から3年ごとに開催され2019年で第4回を迎えた。総合ディレクターは大地の芸術祭と同じく北川フラム氏で、総合プロデューサーは文化祭以前から直島などでアート活動にかかわってきた福武總一郎氏である。

　芸術祭は香川県、地元の市町村をはじめとして大学、組合、企業など48団体によって構成され、官民学連携がうまく運んでいるイベントである。第4回は32の国と地域から230組の芸術家が参加した。国内からの総来場者数は約118万人で、そのうち四国地方からの来場者は42％、中国地方からの来場者は18％（関東地方は16％）と、地元の来場者が多かったことがうかがえる[*10]。海外からの来場者の内訳を確認すると台湾、中国、香港で約73％を占めており、アジアからの来場者を惹きつけている。

　各島で開催されていることもあり、その移動を支える海上交通も期間中は運航が調整されるなど、芸術祭を実行することで派生する影響は非常に大きい。日本銀行高松支店および瀬戸内国際芸術祭実行委員会によれば「瀬戸内国際芸術祭2019」の経済波及効果は180億円にのぼるという[*11]。

　また、大地の芸術祭は「こへび隊」と呼ばれるサポーターが、瀬戸内国際芸術祭では「こえび隊」と呼ばれるサポーターが活動とイベントを支えている。

世代・ジャンル・地域を越えて、日本全国および海外の人が流動的に活動に参加する[*12]という。これまで全く接点のなかった人々が出会い、つながり、共通の目標に尽力する経験はこの芸術祭なくしてはあり得ないものであろう。

また吉田隆之は芸術祭が地域に根差したものとなるために地域資源の活用、地域コミュニティの主体性、地域活動と結びつけて持続可能な戦略を持つことの必要性を挙げている[*13]。地域の人々の理解を得て協力を引き出す仕掛け、その中の１つである地元の人も巻き込んだサポーターの存在は芸術祭が地域に受け入れられるためにも欠かせない。

2　アーティストインレジデンス

芸術祭の中にも組み込まれる作品、パフォーマンスの１つにアーティストインレジデンス（以下、AIR）によるものがある。AIR は、芸術家が特定の地域に滞在し、その土地で見た風景や、地元の人との交流から、地域文化の理解をふかめていきつつ作品づくりにいそしむ活動である。そのスタイルは千差万別であり、地域によって受け入れ方も芸術家によってアプローチも異なる。ある芸術家が外部の視点、独自の視点からその土地を捉え直し、土地の文脈を活かした作品を提示することで、地元の人や観光で来た人などの享受者にその土地の景色や魅力を気づかせ再認識させることもある。

たとえば、前述の大地の芸術祭では古民家を改造したオーストラリア・ハウスという滞在場所がつくられた。2018 年に公募で選ばれたデジタルメディアアーティスト、エレナ・ノックス氏が地域の住民とワークショップを通して交流をし、気候の変化など地域に根差した作品を公開した。

AIR は国内外の芸術家にとっては活動拠点を得られる上、受け入れ団体や受け入れ地域にとってはその魅力の発信につながり、双方に利益が得られる。文化庁は AIR の国際交流という観点に着目し、2016 年から「アーティスト・イン・レジデンス活動支援を通じた国際文化交流促進事業」を実施している。日本全国の AIR の情報をまとめた総合サイト AIR_J（https://air-j.info/）では、恒常的に AIR を行っている施設の情報や、募集しているプログラムの公開な

どを行い、国内外の芸術家と地域のマッチングを図っている。

　AIRではそれまで地域のことを全く知らなかった芸術家が一から作品づくりに臨むことが多く、それには地域の土地を知る機会や、地域の人と交流する機会が欠かせない。土地を知ってもらうためのきっかけづくり、周辺を案内できるガイドのような人材、交流を促すワークショップの企画など、芸術家と密にコミュニケーションをとり幅広く準備を手掛けられる窓口が求められる。また、作品づくりには十分な時間のリサーチが欠かせない。受け入れる団体や自治体には長期間にわたるサポートの確保が必要とされる。

　土地の魅力を引き出す可能性を抱くAIRであるが、吉田雄一郎はその危うさについても「地域の文化的資源を題材にして作品を創作することは、アーティストが表現者という特権的な立場を通して地域のリソースを搾取することや、地域がその魅力発信のためにアートを利用することにつながってしまう可能性をはらむ（中略）。リサーチ対象との関係の築き方やテーマの扱い方について、アーティストと運営者、地域の人々という三者間のコミュニケーションや意識のすり合わせが重要となる」と言及している[*14]。

3　地域に根差した芸術団体

①独自で劇場を構える団体

　地方で活動する芸術団体には独自で劇場を構える芸術団体とそうでない団体がある。団体に専属の劇場があると継続的な活動が保証されることになり、その分芸術家は創作活動に注力できる。日本では劇場を構える芸術団体は希少である。有名なところでは、鳥取県の演劇団体が拠点とする「鳥の劇場」や新潟県のダンス団体が拠点とする「りゅーとぴあ」などが挙げられる。

　鳥の劇場は中島諒人氏を主宰として活動する演劇団体であり、鳥取県鳥取市鹿野町の廃校となった幼稚園と小学校をリノベーションした劇場（鳥の劇場）を拠点に活動している。劇場ホームページによると、劇場の活動指針として「創る」「招く」「いっしょにやる」「試みる」「考える」「成長の支援」を掲げており、

演劇創作・上演、学校や福祉施設でのワークショップ、国内外の優れた作品や芸術家の招聘、演劇祭の実行などを実施している。海外とのつながりという意味では、韓国、中国、ルーマニア、イギリス、イタリア、フィンランド、フランス、ドイツ、ハンガリー、トルコ、アメリカなどの芸術家が活動しているという[*15]。

　また、2008 年から実施されている「鳥の演劇祭」では全国および海外の作品を上演し、地元で一流の作品に触れる機会の創出に尽力している。また、芸術家と享受者の接点を増やす場やまちあるきの企画なども合わせて行っており、地元に根差した活動になるよう工夫を凝らしている。

　さらに、日中韓 3 か国の演劇祭「BeSeTo 演劇祭」の主たる開催場所ともなっている。BeSeTo 演劇祭は、日本・中国・韓国が持ち回りで、1994 年以来開催している演劇祭である。日本ではこの演劇祭はもともと東京都を中心にいくつかの地方都市で行われていたが、2016 年の日本公演は東京都では行わず、鳥取市を主会場にして利賀村（富山県南砺市）、新潟市にて上演されており、その開催場所が地方中心に移っている。これは鳥取における地域住民を巻き込んだ演劇祭を含めた継続的な活動の蓄積があってこそのことであろう。

　BeSeTo 演劇祭の国際委員でもある金森穣氏はダンス集団 Noism の芸術監督であり「りゅーとぴあ」の舞踊部門芸術監督である。団体ホームページによると、Noism は公共劇場専属舞踊団として 2004 年 4 月りゅーとぴあ新潟市民芸術文化会館で設立した。設立以来、全国および海外からオーディションで選ばれた舞踊家が新潟市に移住し活動している。Noism は 3 つの集団にわかれており、プロフェッショナル選抜メンバーによる Noism0（ノイズムゼロ）は舞踊の枠を超えた表現の追求、プロフェッショナルカンパニー Noism1（ノイズムワン）はりゅーとぴあでつくった作品を国内外で上演し新潟市から世界に発信すること、研修生カンパニー Noism2（ノイズムツー）は劇場公演に加えて、新潟市内で開催されるイベントや学校での公演など地域に根ざした活動にそれぞれ注力している[*16]。

　Noism はその独自のバレエメソッドにより、唯一無二の作品を数多く創作

し発信している。りゅーとぴあで創作された作品は、ロシア、北南米、台湾、フランスなど海外でも公演され、高く評価されている。海外の作品を日本に呼び込む需要も少なくないが、逆に日本でつくった作品を海外に展開していくことができる。それだけ質の高い作品を創作することができる要因には、新潟市が金森穣氏に期待し、Noism という専属舞踊団の設立を認め、その活動拠点を提供することを決断できたことが根底にあるのだろう。一流の技術を持つダンスカンパニー Noism でも、税金を使ってその活動を支持することを行政や市民に十分に納得してもらうためには、地道な交渉と調整が求められる。

　2007 年時点で、奥山・垣内・氏家がりゅーとぴあの社会的便益を評価した。文化財の価値を直接利用価値、オプション価値、代位価値、遺産価値、威信価値、審美的価値とした上で、りゅーとぴあの持つこれらの価値に新潟市民がどれほど重きを置いているか仮想評価法を用いてその平均値で金額換算した結果、約 11 億円の価値があることを示した[17]。Noism を中心とした活動によって、劇場そのものが市民の理解を得て高く評価されたことがわかる。

②特定の拠点を持たずに地方で活動する団体

　特定の拠点を持たずに地方で活動する芸術団体としては、京都府京都市右京区の京北地域に事務局を構え、関西を中心に活動するアマチュアオーケストラであるアミーキティア管弦楽団[18] を取り上げたい。アミーキティア管弦楽団は 2015 年に設立以来、代表である常盤成紀氏を中心にオーケストラのイメージを覆すような企画・演出を行っている。たとえば、いわゆるコンサートホールでの演奏ではなく、大阪府の釜ヶ崎で活躍する NPO 法人こえとことばとこころの部屋（通称：ココルーム）[19] とコラボレーションし「釜ヶ崎芸術大学」の 1 つの企画としてココルームの運営するゲストハウスの中庭で演奏会を行った。コンサートホールとは別の、特定の現場でその場の文脈を拾い、そこにいる人々とともに演奏・パフォーマンスをすることにより、場の利用者や周辺の住民らが生活圏内で自然と音楽を聴いたり創作に関与したりすることを楽しめる点が魅力である。また、近年では年に 2 回の演奏会に加えて京北地域に

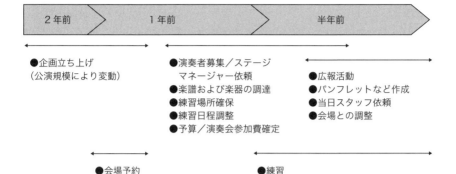

図7・2　アマチュアオーケストラの公演までの主なスケジュール例
（アミーキティア管弦楽団提供情報をもとに筆者作成）

おいて中学生および高校生とともにワークショップつきのコンサートを実施するなどその活動の幅を広げている。

　アミーキティア管弦楽団は 2019 年 7 月に、ツーソン・レパートリー・オーケストラ（Tucson Repertory Orchestra：TRO）を共催に「音楽の絆〜米国ツーソンレパートリーオーケストラ・アミーキティア管弦楽団国際交流コンサート〜」を実施した。ディレクターである田川徹氏が率いる TRO は普段アメリカ・アリゾナ州で活動するプロアマ混成オーケストラで、2015 年と 2019 年の 2 度、日本でのツアー公演を企画実施した。2015 年のツアー公演は 10 月に岡山と広島で行われ、2019 年のツアー公演は 7 月 6 日から 13 日までの間に大阪、岡山、名古屋、広島で行われたが、本公演はこのうちの大阪公演をアミーキティア管弦楽団と共同開催したものであった。日本においてプロフェッショナルのオーケストラであれば、海外を拠点としている団体や演奏者を招いての公演も見受けられるが、アマチュアのオーケストラがこのような公演をオーガナイズすることは非常に稀な事例である。アミーキティア管弦楽団が本公演の企画実施を TRO から持ち掛けられた背景には人的ネットワークが大きく働いており、常盤氏の音楽仲間が 2015 年の広島公演に出演されていたことがきっかけとなったという。

　企画の立ち上げから開催までの主なスケジュールを図7・2に示す。今回の

国際交流コンサートでは、図に示したものに加えて TRO 側との業務分担の交渉や打ち合わせ、大阪での移動における案内、助成金申請やクラウドファンディング実施など、通常のコンサートでは入ってこないような業務にも対応したという。一般的に企画の立ち上げは公演が大きいほど早まる傾向にある。1つの公演に後援や協力、協賛の申請など外部組織と調整が必要なことも多い。協力団体と関係を持つだけでも困難であり、分野内外との幅広いネットワークの有無が公演の成功に大きな影響をもたらす。

　演奏者を募集した際には、やはり滅多にできない経験につながると関西以外の地域も含めて数多くの応募があった。言語の違いで意思疎通にかかるコストは高くとも、同じ時間を共有し、同じ曲を演奏するということが得も言われぬ経験につながることは想像に難くない。

　また、地方に行けば行くほど前述の集積の経済の利益を受けがたくなり、海外の芸術団体のパフォーマンスに触れる機会は限られている。2015 年に岡山県の吉備中央町で TRO が公演を行った際には町をあげての歓迎ぶりであったという。吉備中央町の協働推進課・地域振興班によりツーソン・レパートリー・オーケストラ招聘音楽祭実行委員会がまとめられ、ホームステイなどにより楽団員と町民との交流の機会が積極的に創出された。さらに、当時の広報誌には「ツーソン・レパートリー・オーケストラ招聘音楽祭通信」と称したコーナーが4か月分作成され[20]、TRO や演奏曲の紹介がなされており、その周知に非常に力を入れたことがうかがえる。TRO としても、地元の人たちと生活を共にし時間を共有したことで、自分たちが公演を行った地域や鑑賞した人の顔を明確に意識したに違いない。普段触れ合う機会が限られているからこそ、海外の芸術団体が公演を打つ際には町を挙げて手厚くもてなす準備ができれば、海外の人に土地や人の魅力が伝わるという、海外の団体と直接つながるメリットを享受できることを体現した事例だろう。

　また、普段公演に接点のない人にアプローチすることは、文化芸術を国民の身近なものとするという文化芸術基本法の理念に合致する。アミーキティア管弦楽団は運営陣の活動理念に強いこだわりが見受けられる。その1つが団体

の広報において多言語対応を強く意識している点であろう。「オーケストラという西洋から入ってきた音楽を扱う以上、音楽自体が国境を越えている。日本での公演も観客が日本人だけにとどまる必要はなく、全国に約200万人いる外国籍の方や旅行者なども積極的に呼び込んでしかるべきである。現在活動資金や人材確保の難しさもあって思うように対応しきれない部分もあるが、今後も団体としてこだわっていきたい部分だ」と常盤氏は語る。

　以上、地方で活動しながら海外とつながる芸術活動についてその関わり方別に確認してきた。地域の理解と発信に重点を置いて活動している場合が多く、自治体の施設や土地を活用しながら地元の魅力を引き出す多様な活動は地域の人々の思いや考えに多少なりとも変革をもたらすだろう。ここで議論したものは、本当にごく一部である。人々の感覚に揺さぶりをかける芸術活動のすべてが受け入れられるものとは限らず、地域創造に活用する場合にも注意が必要である。ただ、全国各地で、日々芸術家はその時間、知力、体力を振り絞り、感覚、気づき、技術を研ぎ澄まして自身の表現活動に従事している。芸術家が活動する自治体の職員や地域住民らには、各表現者が何を見て感じ訴えているのかに少しでも寄り添う気持ち、誰かの何かに響く期待を持つ人の拡充を引き続き求めたい。

7-4 ｜ 芸術家とのネットワーク構築

　文化芸術はその広い汎用性により行政内でも取り扱う機関が多岐に渡る。地方創生や観光、教育といった他分野領域と連携を取りながら行政を進めていくことが困難であろうことは想像に難くない。芸術活動をコントロールしようとすることはあってはならないが、各自治体がどういう政策をとっていきたいか明確に方向性を打ち出すことは関係団体と連携を図っていく上で1つの指針となるだろう。また、自治体の担当者を明確にすることも芸術家や芸術団体にとって相談し連携しやすい環境づくりにつながると推察される。

国際交流をすすめる意義は、交流を通じて多様な価値観と触れ合い、柔軟な思考と発想を広げられ、レジリエントな社会づくりにつながるところにある。海外の芸術家を招聘して作品づくりにかかわってもらう場合、もしくは地域の芸術家および芸術団体が海外に行って作品づくりや公演を行う場合いずれも、地域の人々と芸術家が同じ場所で同じ時を共有することで、その活動前には全くの他人であった人同士が深くつながることができる。そのつながりを持つことは、互いの出身地や考え方に興味を抱くきっかけとなる。縁もゆかりもない場所や人に思いを馳せることは難しいが、特定の人を知っていることが文字通りその人の世界観を広げる。

　以上で紹介したどの団体・活動も限られた予算内で地域や業界でのネットワークを通じて創意工夫を凝らしながら活動を続け発展させている。そんな中で、少しでも自治体がそうした芸術活動を支持すると表明することは活動団体のモチベーションにつながる。稼働していない劇場や音楽堂施設の活用を積極的に検討する、あるいは芸術団体からの企画が立ち上がったときに、その意義を捉えて企画に応じて必要なサポートを迅速に提供できる体制をつくる、といったことなどが望まれる。

　加えて、現在新型コロナウイルス感染拡大の影響が続いているが、自粛期間中には家で芸術を嗜む人、または SNS を通じて芸術活動を発信した人も多く見られた。ライブでの表現に制限がかかる中でも、オンライン上、VR 上のイベント開催を通じて創作意欲を維持させることはできる。さらに、イベントを通じた芸術家のネットワーク構築につながることを鑑みると、人の往来が自由になった後を見据えた行政の支援のあり方が見えてくるのではないだろうか。

　グレフ[*21] が指摘するように、文化産業ありきで舞台芸術が疲弊するような契約の押しつけが行われてはならない。芸術はそもそも創造活動であり、その付随効果を産業として期待するのであれば創造の範囲や機会の制約を取り払う工夫を行っていくことが健全なあり方であろう。自治体には当該自治体で活動する芸術家、芸術団体がそれぞれお互いにかつ地元で活動する人々と交流を持てるような機会や場の長期にわたる創出を今後一層期待したい。芸術家の活動

が広がりを見せる背後には、彼らの活動が広く周知されて、その出会いの中で特に琴線に触れた人同士がつながり、刺激をしあうというプロセスが欠かせない。日本を本当の文化芸術立国たらしめるものは各地方での文化芸術の活性化にほかならない。

［注］

* 1　文化庁（2009）「地域における文化芸術の振興」『文化芸術立国の実現を目指して』（https://www.bunka. go.jp/tokei_hakusho_shuppan/hakusho_nenjihokokusho/archive/pdf/r1402577_21.pdf）pp.205 ～ 220 の見出しを抜粋した。
* 2　文化庁（2020）『地方における文化行政の状況について（平成 30 年度）』（https://www.bunka.go.jp/ tokei_hakusho_shuppan/tokeichosa/chiho_bunkagyosei/pdf/92432401_01.pdf）を参照のこと。
* 3　Culture NIPPON に登録されているイベントの中には、もともとは内閣府起点で現在では文化庁が総括する「beyond2020 プログラム」に認証されたものがあることがわかる。「beyond2020 プログラム」に認証されることは、地域性が豊かでありかつ外国語での周知を含めるなど多様性を確保するための工夫がなされた次世代に遺されるべきプログラムだと判断されたことを意味する。詳細は、Culture NIPPON ウェブサイト（https://culture-nippon.go.jp/ja/）を参照のこと。
* 4　公認文化オリンピアードおよび応援文化オリンピアードは、それぞれオリンピック東京 2020 大会に参画するプログラムとして、各省庁、開催都市、スポンサー、JOC、JPC、会場関連自治体、大会放送権者が実施し、公認事業として位置づけるもの（公認文化オリンピアード）および非営利団体等が実施しアクションの裾野を広げ、多くの人が参画できることを目指すもの（応援文化オリンピアード）である。スポーツ・健康、街づくり、持続可能性、文化、教育、経済・テクノロジー、復興、オールジャパン・世界への発信、という 8 つの分野の中で文化にかかわるもので認証を受ければ、広報などに「オリンピック」「パラリンピック」等の文言やロゴマーク等を含めることができる仕組みである。
* 5　全国劇場・音楽堂等総合情報サイト「全国公立文化施設検索」（https://www.zenkoubun.jp/search/index. html）において地方ブロックをすべて選択して検索した。
* 6　国土交通省「国土数値情報　文化施設データ」（https://nlftp.mlit.go.jp/ksj/gml/datalist/KsjTmplt-P27. html）で全国地図に施設データをプロットして確認した。
* 7　全国公立文化施設協会（2020）『令和元年度　劇場、音楽堂等の活動状況に関する調査 報告書』（https:// www.zenkoubun.jp/publication/pdf/afca/h31/h31_chousa.pdf）。有効回答数については p.3 を、10 万人未満の市・特別区の集計については p.31 を参照のこと。
* 8　地図については、OpenStreetMap（https://www.openstreetmap.org）を用い、バレエスタジオについては公益社団法人日本バレエ協会「全国バレエスタジオ案内」（http://www.j-b-a.or.jp/studios/）に登録されているバレエスタジオのデータを用いた。
* 9　北川フラム・大地の芸術祭実行委員会 監修（2020）『大地の芸術祭　越後妻有アートトリエンナーレ2018』現代企画室、p.214 を参照のこと。
* 10　北川フラム・瀬戸内国際芸術祭実行委員会 監修／押金純士、廣瀬歩、古屋歴、岡本濃、関守侑希 編集（2020）『瀬戸内国際芸術祭 2019』青幻舎、p.250 を参照のこと。また、注 11 に示す日本銀行高松支店・瀬戸内国際芸術祭実行委員会（2020）によると、来場者のうち 23％が外国人だったという。
* 11　日本銀行高松支店・瀬戸内国際芸術祭実行委員会（2020）『「瀬戸内国際芸術祭 2019」開催に伴う経済波及効果」』（https://www3.boj.or.jp/takamatsu/econo/pdf/ss200204.pdf）を参照のこと。
* 12　詳細はこへび隊ウェブサイト（http://kohebi.jp/ideal/）およびこえび隊ウェブサイト（https://www. koebi.jp/about/）を参照のこと。

＊ 13　詳細は吉田隆之（2019）『芸術祭と地域づくり』水曜社、p.197 を参照のこと。

＊ 14　吉田雄一郎（2020）「「地域」と「アート」 —相互作用のその先に」野田邦弘、小泉元宏、竹内潔、家中茂編著『アートがひらく地域のこれから　クリエイティビティを生かす社会へ』ミネルヴァ書房、p.113

＊ 15　鳥の劇場ウェブサイト（https://www.birdtheatre.org/birdtheatre/about）を参照のこと。また、鳥の劇場の活動については五島朋子（2020）「地域とともに未来を創る劇場を目指して —鳥取県鹿野町 NPO 法人鳥の劇場の挑戦」野田邦弘、小泉元宏、竹内潔、家中茂編著『アートがひらく地域のこれから　クリエイティビティを生かす社会へ』ミネルヴァ書房、pp.73 ～ 91 などにも詳細に記述されている。

＊ 16　詳細は Noism ウェブサイト（https://noism.jp/about/company/）を参照のこと。

＊ 17　詳細は奥山忠裕、垣内恵美子、氏家清和（2007）「文化施設の社会的便益評価 —りゅーとぴあ（新潟市民芸術文化会館）を事例として—」『都市計画論文集』No.42、pp.30 ～ 41 を参照のこと。

＊ 18　団体の詳細については、アミーキティア管弦楽団ウェブサイト（https://www.orchestra-amicitia.org/）を参照のこと。

＊ 19　ココルームウェブサイト（http://cocoroom.org/Information/tagengo/index.html）で、ココルームは「「表現」をとおした自立・自律を育むための活動、社会や地域の問題解決のきっかけとなる活動をココルームは日々試行している。ホームレス、障がい者、派遣切りの若者、ニート、生活保護受給者など、多様な人たちと関わりながら、「新しい公共」のありかたをさぐっている」と記している。商店街の中に現れるココルームは、普段から様々な人が出入りし、つながり、話し、表現する場になっている。ココルームの活動のひとつに 2012 年から取り組まれてきている「釜ヶ崎芸術大学・大学院」があり、年間 100 以上の講座を開催する。

＊ 20　『広報きびちゅうおう』2015 年 7 ～ 10 月号（https://www.town.kibichuo.lg.jp/site/kouhoukibichuo/826.html）を参考にした。

＊ 21　クサビエ・グレフ（垣内恵美子監訳）『フランスの文化政策　芸術作品の創造と文化的実践』（水曜社、2007）を参照のこと。

132

第4部

内発的地域振興と観光

安本宗春

第8章

地域資源の観光資源化による活用
──大井川鐵道

8-1 | 地域外と接点を持つ方策としての観光

　地域振興の手段としての観光は、取り組みの主体を地元に置きながら、地域外の観光客へ地域の魅力を発信することによって、地域外からの集客を図る。つまり、人口規模が小さい地域でも、海外を含めて地域外と接点を持つ方策である。地域外からの観光客増加は、非大都市圏の各地で、これまで縁がなかった市場を創出するものである。そうした観光客は、当該地域での観光行動において、商品・サービスを消費する機会から地域産業を活性化させる効果を持ち得る。あわせて、観光客と現地の人々が、同じ場所・時間を過ごすという関わりを通じて、双方の相互理解を深めていく機会にもなる。そうしたものは、地域情報の発信や地域のにぎわいづくりといった機会にもなる。

　観光振興の目的である市場を通じたサービスの提供は、観光客のニーズに応えようとする活動を通じて、地域の再発見にもつながる可能性を持つ。これは観光客が、地域らしさをイメージしたものを消費しようとするからである。つまり、当該地域でなければ消費することができない土地への定着性が高い地域資源が、観光客の行動目的となる。そうした行動目的となるものが、観光資源である。観光資源は、当該地域（目的地）における様々な体験（みる・

食べる・遊ぶなど）を含めた、その地域らしさを創るものということができる。近年では、地域の生活様式、産業、アニメやドラマの舞台、医療、農業体験など、観光資源の範疇も多様化している。そうした当該地域の特徴となる観光資源は、国内だけではなく海外に向けた国際的な展開にも有効な可能性を有する。

　観光は、①人口減少を補う地域需要の補てん効果、②１人１人の生活満足度の向上、③地域間所得再配分の効果、といった機能・役割から注目を浴び、政策的にも推進されるようになってきたといえる。地域経済への派生を誘発する効果を狙って地域内から活動を推進することができるものである。

　2020 年は、世界中で新型コロナウイルスの感染拡大を受け、人々の活動に対して自粛を求められることが多くなった。コロナウイルスの感染防止に向け、「新しい生活様式」が提唱され、オンラインを活用するなど人との接触や移動機会を減らしていくことのあり方が模索されている。「新しい生活様式」は、人々に浸透してきたものの、過度な自粛や生活スタイルの変容に疲弊する人々も見受けられる。同時に、観光業をはじめ接客や地域間の移動を提供する業種は、大きな損失を出している。こうした経済・社会の疲弊に対し、官民が一体となり地域活性化に向けた需要喚起を目的とした「Go To トラベル キャンペーン」を 2020 年夏から一定期間限定で実施したが、コロナウイルスが収束しない中でのスタートにより、様々な批判や混乱が生じた。こうした様子を俯瞰すると、観光を含めた余暇活動は、人々の生活に不可欠な行動であるともいえよう。

　以下第４部では、上記を踏まえ、内発的地域振興政策としての観光がどのような役割を果たすのかについて行く側、迎える側の双方から検討する。そして、地域社会における受け入れ態勢などの議論を踏まえた観光客の質的な拡大についての展望を示す。

8-2 | 内発的地域振興の視座

　地域振興は、経済的側面と社会的側面の双方から地域を盛り上げていくことが肝要である。経済的側面は、地域における商品・サービスの生産や消費による、地域の産業活性化や経済成長についてである。そして、社会的側面は、地域住民の生活満足度向上や安定、人々との交流によるにぎわいの創出である。

　地域振興の方策を考えた場合、活動の展開に必要な資源や技術を地域内で賄う場合と地域外から調達してくる場合がある。ただし、これまでの地域振興を振り返った場合、地域内の主体性を活かしていきながら、地域外との関係を構築する内発的な要素が肝要となる。こうした方策は、「内発的発展」として研究が行われている。日本で最初に内発的発展を提唱した鶴見和子は「内発的発展を『それぞれの地域に適合し、地域住民の生活の基本的必要と地域の文化の伝統に根ざして、地域の住民の協力によって、発展の方向と道筋をつくり出していくという創造的な事業』と特徴づけたい」[*1] と述べている。つまり、地域振興の展開の主体性が地域の中にあることが必要なのである。地域振興の展開は、活動規模を問わず、取り組みの過程や経験を通じて、それに関わる人々の成長をもたらすものが望ましい。そうしたことが地域全体に広がる原動力となる場合、活動の継続性が強まる。その際、地域の中にある資源の活用を通じて、地域産業への波及・連環をもたらす展開となることが重要である。

　観光を含め、内発的地域振興を推進する際には、地域内の推進主体の思いが先行する「内向き」な取り組みや、観光客だけにしか意識がいかない「外向き」な取り組みのいずれかに偏るのではなく、地域内外の双方の結びつけが重要である。内発的な取り組みは、当該地域内で留まり、域外にある資本や人材などを排除するものではない。地域がみずからの意思決定により、交流・相互作用を通じて連環を図り推進することが重要なのである。そして、多様な考え方、視点、技術などを取り入れ、観光客のニーズや嗜好に適う展開を図るのである。

1 観光の意義

　観光は、私的な楽しみや物見遊山として余暇活動の側面が強く出る傾向がある。しかし、人々の観光行動やそれに対する取り組みを俯瞰すると様々な観点から意義を有している。また観光は、観光客が地域に訪れることで、海外を含めて広く地域内外の相互理解を増進する機会となる。すなわち観光客と受け入れ地域の双方が親しく、地域の中にある新しい価値を見出し、多様な人々の生活満足度の向上を導くことに意義がある。

　「観光」の語源は、古代中国の戦国時代の占いのテキスト『易経』にある「観国之光。利用賓于王。」という句に由来する。政府の観光立国懇談会の報告書の中では「易経」の意味を踏まえ、「観光の原点は、ただ単に名所や風景などの『光を見る』ことだけではなく、1つの地域に住む人々がその地に住むことに誇りをもつことができ、幸せを感じられることによって、その地域が『光を示す』ことにある」[*2]としている。つまり、観光は行く側と迎える側の双方から形成するものといえる。行く側である観光客として見た場合、非日常と称して当該地域に訪れ様々な地域資源にふれる機会となる。観光客がその地域を訪れ楽しむことは、訪れた地域に対する理解につながる。そうした観光客の様子を地域住民が知ることは、地域住民が居住する地域に対して自ら誇りを持つことにつながる。観光立国に関する基本理念である「観光立国推進基本法」によると「観光は、国際平和と国民生活の安定を象徴するものであって、その持続的な発展は、恒久の平和と国際社会の相互理解の増進を念願し、健康で文化的な生活を享受しようとする我らの理想とするところである。また、観光は、地域経済の活性化、雇用の機会の増大等国民経済のあらゆる領域にわたりその発展に寄与するとともに、健康の増進、潤いのある豊かな生活環境の創造等を通じて国民生活の安定向上に貢献するものであることに加え、国際相互理解を増進するものである」と観光を捉え、施策の基本事項を定めている。こうした基本理念を整理すると、観光は余暇活動であるが、①地域の人々と観光客の相互理解を深めること、②人々がより良い生活を送ること、③地域の活性化、という役割を担っていることがわかる。そして、観光振興は、「住んでよし、訪

れてよし」と言われるように、観光客と地域の双方の理解と開かれた地域づくりを目指して進めていくことが求められる。

　日本国内の各地域には、海、山、川といった自然や景観、四季の気候風土、神社仏閣といった歴史、ゲームやマンガ、アニメといった現代的なコンテンツなど様々な地域資源がある。そして、地域資源を観光により活かし、地域内の魅力を通じて地域外から観光客を呼び込むことに意義があるのである。この地域外からの観光客として、日本人観光客をひきつけることに加え、外国人観光客を呼び込むことが求められる。日本人、外国人を問わず多様な人々が、地域の様々な地域資源に対して魅了され、地域と観光客の双方から見てより望ましい関係を構築する方策を展開することが肝要となる。また、昨今の新型コロナウイルス拡大により、外国人観光客の訪日が困難となった。国際戦略と称して外国人観光客に依存しすぎる観光振興策は、このような異常時に対する対策が困難であるとともに、その損失は甚大なものとなる。外国人観光客への依存度が大きかった地域では、外国人観光客向けから近隣地域の日本人観光客に向けた取り組みへの転換を模索する事例も散見される。こうした状況を踏まえると、外国人観光客と日本人観光客の双方から親しまれる観光振興のあり方を模索することが、国際戦略を包含した観光による内発的地域振興に求められる視座となる。

2　観光振興の可能性と課題

　日本は、2003 年の小泉首相（当時）による観光立国宣言以降、大都市圏・非大都市圏を問わず、地域振興手段として観光に注目するようになった。2006 年には「観光立国推進基本法」を制定し、21 世紀における日本の重要な政策の柱として、市町村、地域社会と連携・連動した観光を推進している。この背景には、人口減少および少子高齢化の進行を受けて、国内市場規模の縮小することが明らかだということがある。そうした時に地域外からもたらされる直接的経済効果により、地域産業を活性化させる方策として観光が注目されたのである。篠崎（2015）は、「地方創生」の取り組みを俯瞰し「『定住人口』の

増加がなくとも、『交流人口』の増加によって、経済の活性化は可能である」[*3]と、観光が地域振興の手段として有効であることを指摘している。人口減少が進行する非大都市圏を中心に地域外の人々と関わりを持つ交流人口や関係人口に対して注目が高まっている。

　観光は、非大都市圏を中心に進行する人口減少を地域外から関わる観光客により補い、観光客の飲食・宿泊といった観光行動により利用される商品・サービスが、地域に経済効果を創出する。そうした観光の経済効果は、各地域内の様々な産業へ多角的に波及効果をもたらすことと合わせて、域内にある他産業の需要喚起となる。それゆえ、観光産業は、宿泊施設、飲食、交通事業者、物販、娯楽・レジャー、旅行業など、多様な業種が複合的に集積し形成された複合産業といえる。

　コロナウイルス感染拡大以前の日本各地では、日本人観光客、訪日外国人観光客の双方で入込観光客数のピークを迎えていた。一部地域では、観光公害やオーバーツーリズムといった観光振興の展開による弊害が指摘されるようにもなった。つまり、量的な交流人口拡大だけでは、観光による地域振興も所期の成果を収められないのである。観光客の増加は、その地域で暮らす住民や拠点を置く企業に還元されるとは限らない。したがって、観光による地域振興として観光客増加を目指す取り組みを展開する際には、地域の住民や企業と共存可能な方策が求められるのである。つまり、地域に暮らす様々な価値観を持つ住民が、地域の日常を維持しながら展開できる観光振興が求められるのである。島川（2002）は、観光地の発展における持続性について、観光により地域にもたらされる、経済的、政治的、社会的な影響をコントロールしつつ、環境負荷を考慮して推進する必要性を指摘している。島川は、「サスティナブルツーリズム」を行うために、①商業的に成立していく「経済的」な分野、②地域のイニシアチブで観光開発を行う「政治的」な分野、③地域内の人の積極的な参加による取り組みである「社会的」な分野を踏まえ観光客・観光事業者・地域住民において意義がある取り組みを推進する必要があるとしている[*4]。

　現在では、観光を推進する目的が内発的地域振興として強く意識され、国土

交通省・観光庁以外の経済産業省、総務省、環境省、農林水産省なども幅広く観光に関連する事業に取り組むようになった。一方では、観光を地域の総合政策と位置づけ、幅広い観点から取り組んでいくことが求められている。

8-3 | 観光資源の活用と地域イノベーション

1 観光資源となる対象

　観光による内発的地域振興の展開には、観光資源の有効な活用が不可欠となる。観光客が観光資源に求めるものは、資本力や技術で真似が困難な、地域の固有性や独自性といったものである。つまり、その場所に行かないと消費できない、利用できないといった「場所の代替」が困難であることが求められる。そうしたものには、地域の文化・歴史・自然といった定着性が高いものがあげられる。地域の暮らしの中に築きあげられた歴史や文化といった地域資源を、観光客の受け入れに向けて再編して活用していく過程が重要となる。また、観光資源は、観光客が実際に地域に訪れ、満足感を得られるものが対象となる。この観光資源の領域は、観光客1人1人の目的意識により幅広く、単一的なものから複合的なものまで様々である。単一的な観光資源は、歴史的建造物や風景などのように範囲・対象を明確に定めることができる。それに対して、観光客が、地域の中にある多様かつ複合的に構成された空間にいることで、満足度を向上させる場合がある。これは、地域や商店、圏域といった、面的な範囲が観光資源として、緩やかに定められている場合である。近年では、観光客の行動目的も多様化し、地域の中で複合的に構成された空間が観光資源として捉えられていることが増えているといえる。

　観光資源は、観光客の日常生活から見て、非日常的な存在が対象となる。しかし、観光地となる地域住民の視点から見ると、日常的な存在である。非日常と日常の関係について山田（2010）は、「ある地域社会の日常は、そこから遠く隔たった別の地域社会の人たちにとって非日常と映ずる」[*5] と述べ、観光

客から見た非日常について指摘している。また、観光における日常と非日常の境界がわかりにくい場合もある。地域の名所や観光客に向けたイベント、商品・サービスは、地域住民の欲求をも満たす。その反対に、地域住民が日常生活で利用する商品・サービスには、観光客の欲求を満たすものもある。後者の場合は、当該地域の日常生活の中に存在しており、観光資源としての価値を発揮できない場合もある。

　観光資源による価値の創造のためには、従来から地域にある歴史や生活文化といった当該地域の日常をいかにして活用していくかが重要である。観光による内発的地域振興の展開には、観光客が消費する商品・サービスを、当該地域内で生産・加工・消費し、既存産業の付加価値を高めるといった視点が求められるのである。

2　観光資源による価値創造の方策

　観光による内発的地域振興を考える際は、観光資源を活用し地域と観光客とを結びつける取り組みの過程を検討することが視座となる。その際、地域にある様々な地域資源を、観光客の訪問を導き出すための価値を創造した観光資源とすることが、地域イノベーションといえよう。

　地域資源を観光資源として価値を創造するために、資源の多様な活用可能性を模索することが求められる。観光資源は、一般に販売される商品開発・販売のように、陳腐化したからといって新規の取り組みを展開することはできない。それは、観光資源の特性から見て、地域から動かしたり、形を変えたり、といったことができないからである。以下では、2つの視点から、観光資源の価値創造による地域イノベーションについて検討する。

　まず1つは、これまで訪れていなかった観光客層の呼び込みである。観光は、余暇活動である一方で、自律的に移動ができる人が対象となっていた。しかし今日では、外国人観光客から障がい者や高齢者まで誰もが観光行動を展開できる地域づくりが求められている。こうした多様な観光客層への対応は、新たな顧客の開拓でもある。そして、多様な人々を魅了させ望ましい関係を構築する

ことは、当該地域のファンづくりにもなる。

　もう1つは、歴史や文化、現代的な流行など、その地域を取り巻く様々な
コンテンツを軸にしたストーリー展開である。たとえば、アニメやマンガは世
界から注目されているコンテンツである。コンテンツの中には、地域の中に実
在する背景を描写した作品も存在する。そうしたコンテンツと地域資源とをか
け合わせることは、新たな観光資源の可能性を創出することになる。

　観光による内発的地域振興の視座を踏まえ、地域イノベーションについて検
討すると、その地域の中の多様な人々との合意形成により時代に適う変革を継
続的に展開できるかが重要であろう。こういった変革は、これまで訪れていな
かった観光客層を新たな顧客として獲得し、地域住民の満足度を高めていくこ
とにより成し遂げることができる。以下では、具体的な事例として静岡県の公
共交通である大井川鐵道について検討する。この理由は、地域の暮らしや開発
の過程で築きあげられた公共交通サービスである鉄道を、観光客の受け入れの
ための観光資源として活用する取り組みが展開されているからである。

8-4 ｜ 地域資源の観光資源化

1　公共交通と鉄道

　鉄道は、人々の暮らしを支える交通サービスであり、地域資源でもある。鉄
道の利用者は、地域間の移動が主目的であり、その移動手段として鉄道を利用
する。車を持たない、あるいは運転免許を取得していない・できない人々にと
って、重要な交通サービスである。

　鉄道路線の存在は、影響が及ぶ範囲から社会的役割を担う公共財として捉え
ることができる。ところが近年、非大都市圏を中心に鉄道の利用促進が模索さ
れている。この背景には、非大都市圏を中心に、利用者の伸び悩みに苦慮して
いる鉄道事業者が多いことがあげられる。非大都市圏では、人口減少や鉄道に
並行する道路整備などの鉄道と競合する交通サービスが出てきていることも一

因である。しかし、鉄道に変わる様々な交通サービスが誕生する中、鉄道の維持を模索するのは、単なる地域間の移動サービス以外の価値を有しているからである。森本（2012）は、「地方においては、鉄道はまちのシンボルと表現されても実際に利用するのは学生や老人が中心であり、自動車が運転できる人は自動車で移動する」[6] と述べ、鉄道は地域と密接な関係があるとしつつも、移動手段としての役割に変化が生じていることを指摘している。鉄道が地域資源として人々から支持される背景には、地域の発展とともに歩んできたことや、駅や路線の経由地が地図に掲載されることで地域の存在を示せることなどがあげられよう。和田（2001）は、「地方鉄道を維持することによって得られる社会的利益の評価は、信念や人生観の問題に帰される部分が大きい」[7] と述べ、金銭評価として数値化して評価する際に鉄道への執着に対する考え方の難しさを指摘している。つまり、輸送サービスとしてのみ鉄道を評価することは難しく、地域の存在を発信するという役割も担っているのである。それゆえ、近年では、鉄道路線の維持に向けて様々な取り組みを展開する地域が多い。

2　観光資源としての鉄道

　地域資源として鉄道は、輸送サービス、鉄道の沿線地域の歴史や文化など多角的な観点から構成される。寺岡（2019）は、「海と山の両方に近く、風景も美しい日本のローカル線。その中には観光地として海外から多くの観光客を集める路線も含まれている」[8] と述べ、外国人観光客に有効な素材であることを指摘している。観光客は、鉄道と地域との関わりに魅かれて訪れることから、鉄道は観光資源でもある。観光資源としての鉄道は、鉄道事業者による輸送サービスに加えて、駅舎などの鉄道施設など幅広い裾野から構成されるものといえる。

　すなわち、鉄道を有する地域そのものを観光資源として捉えることができる。たとえば外務省では、世界に現代日本の社会、文化を紹介するカルチャー・マガジン「にぽにか」の中で、「日本列島鉄道の旅」を 2017 年に取り上げている。その中には、「谷を越え、山を縫い、川を渡り、トンネルを抜け、海辺を走る。

時速 320 キロの新幹線から、のんびりと行くローカル列車まで、日本の鉄道の旅はいつも心躍る喜びに満ちています」[*9] とあり、日本の鉄道の魅力について、非大都市圏の路線から高速鉄道まで幅広い視点で捉えている。同特集の中で鉄道写真家である中井精也氏は「人々の暮らしに溶け込むように、きめ細かく線路が敷かれ、毎日たくさんの人を乗せて列車が走っています。この列車と人の距離感の近さが、温かみのある日本独自の鉄道風景を生み出している」[*10] と述べている。2020 年 1 月現在、「にぽにか」のバックナンバーに観光や旅行といった視点から路線バスや飛行機といった他の公共交通機関を特集したものは確認できない[*11]。鉄道は、沿線地域や人と観光客を結びつける輸送サービスであり、地域に定着し地域の発展とともに歩んできた。

　鉄道には、バスや航空といった公共交通の中でも特に、何らかの愛着や執着心、価値観を持つ人が多く存在するのであろう。現在は利用しない人々でも、鉄道を文化財と捉え、鉄道を有する地域に行くことが観光行動の動機となる場合がある。つまり、他の交通サービスと比較して、鉄道と地域との関わりが感じられる部分が、鉄道に対して人々が支持する要素といえる。

3　大井川鐵道による鉄道路線の観光資源化──SL の復活

　静岡県島田市に本社を置く大井川鐵道は、1925 年に主に発電所やダム建設資材輸送を目的として設立された。そして、1927 年に金谷駅から横岡駅（現在の合格駅付近）間、1931 年に千頭駅までの大井川本線全線が開業した。第 2 次世界大戦以降、輸送力の増強を目的に、1949 年に全線を電化した。そして、中部電力が大井川水系の発電所、ダム建設資材輸送を目的に整備した大井川専用軌道の旅客営業を 1959 年より実施した。

　ここから大井川鐵道が整備された当初は、沿線住民の利用と貨物輸送が主目的だったことがわかる。またかつての観光客輸送は、沿線の主要観光地といえる寸又峡温泉へのアクセスなどに限定されていた。それゆえ、ダム整備の完了、沿線の人口減少やモータリゼーションなどにより、旅客や貨物の輸送量が減少した。輸送量の減少に対する経営危機への対策として、1976 年より SL の定

期列車運行を通じた鉄道の観光資源化が行われた。SL は、1975 年まで日本国有鉄道で利用されてきたものの譲渡を受け、整備している。また SL が牽引する客車は、譲渡された当時から変わることなく、旧型客車をそのまま使用している。大井川鐵道には、かつての開業当時の様子を残す古い駅舎も多く存在する（図8・1、8・2）。そのため、様々なテレビや映画のロケに SL が運行される様子と駅舎などが組み合わせて使用されてきた。

図 8・1　大井川鐵道の SL と客車
（筆者撮影、2020 年 9 月 11 日）

2019 年では、64 万 5000 人の輸送人員のうち、定期利用者は 14％である。SL の運行など自社の観光資源化以前の 1967 年は、輸送人員 383 万 5000 人で定期利用者が 64％であった。2019 年と 1967 年の旅客数の比較から、旅客収入について単純な比

図 8・2　国の有形文化財に登録された新金谷駅の駅舎
（筆者撮影、2020 年 9 月 11 日）

較はできない。これは、鉄道路線の観光資源化による定期外旅客の増加は、乗車距離の増加と SL 急行を利用する旅客の増加と捉えることができるためである。具体的に SL 列車を利用するには、SL 急行料金大人 820 円、小人 410 円を通常の普通乗車券もしくはフリーきっぷと合わせて払う必要がある。また、後述する「きかんしゃトーマス号」は、新金谷駅から千頭駅間の運行で、乗車料金は 3050 円となっている。金谷駅〜千頭駅の普通運賃が片道 1840 円である。同様に、大井川本線（金谷駅〜千頭駅）で 2 日間乗降が自由な「大井川本線フリーきっぷ」は 3500 円であり、往復乗車する場合は普通運賃より安い価格設定となっている。このように、割引率が高い定期旅客の減少を、運賃単価が

図8・3 「COOL JAPAN AWARD」の認定を受けた奥大井湖上駅
（筆者撮影、2020年9月12日）

高い観光客の利用増加により補完しているといえよう。また、観光客の満足度を高めるために様々なグッズ・お土産物としてSLや「きかんしゃトーマス」に関連するお菓子や雑貨などの企画販売を実施している。一部商品は、SLや「きかんしゃトーマス号」の車内販売限定としているものもある。こうした観光客に向けた様々な商品・サービスの展開は、大井川鐵道の黒字経営が近年続いている理由として考えることができる。

　外国人観光客による大井川鐵道の利用は、全体の5%に満たないほどである。しかし、1986年に台湾の「阿里山森林鉄路」、1977年にはスイスの「ブリエンツ・ロートホルン鉄道」と姉妹鉄道として提携し、友好関係を促進しており、アジア圏を中心に日本のことを深く知ることを目的とした外国人観光客が訪れている。また、奥大井湖上駅は、2019年度に世界各国の外国人審査員による「COOL JAPAN AWARD」の認定を受けた（図8・3）。これは、一般社団法人クールジャパン協議会が主催し、日本の良い「モノ」や「コト」を選定する制度である。外国人利用者は決して多くはないものの、大井川鐵道は海外からも注目される要素を兼ね備えているのである。

4　新規顧客層の開拓と新たなコンテンツ「きかんしゃトーマス号」

　大井川鐵道は、東京をはじめ首都圏からの観光客がツアーバスを利用して訪れることが多い。ところが、国土交通省は、2012年に発生したツアーバス死傷事故を受け、バス運転手1人1日の運転距離を500km以下にするという法改正を2013年に実施した。首都圏から大井川鐵道までは片道200km程度で

あるものの、ツアーの行程に他地域の周遊を含めると 500km を超えてしまう。東京を含む首都圏発着のツアーの場合、2 名の運転手手配が必要となり、料金が安い旅行ツアー商品の造成ができなくなった。バスに対する規制強化による利用客の減少は、甚大なものであった。

その時に実施したのが、「きかんしゃトーマス号」の運行である。イギリス発の子ども向け番組である「きかんしゃトーマス」は、幼い子どもたちから大人まで、世代を超えて多くの人々が知っている。また、小さい子どものいる家族連れは、ツアーバスで訪れていなかった観光客層である。これは、本章 3 節でも述べたように、これまで訪れていなかった観光客層の呼び込みにつながる、鉄道資源を軸にした新たなコンテンツの展開といえよう。

「きかんしゃトーマス」のキャラクターのライセンスを持つ㈱ソニー・クリエイティブプロダクツは、「DAY OUT WITH THOMAS」を再現できる場所を探していた。これは、「きかんしゃトーマス」の舞台である架空の島からトーマスが出発するという、作中の様子を実在化して演出するものである。そのためには、作中にある条件に適う SL を保有する鉄道事業者でなければいけない。大井川鐵道は、こうした条件を満たす SL を所有していた。あわせて、複数の SL を所有していたことから、SL に「きかんしゃトーマス」の意匠を施しても、従来の SL 運行も継続ができた。「きかんしゃトーマス」のコンテンツを実在化し、「DAY OUT WITH THOMAS」として運行しているのは、日本で大井川鐵道のみである。世界的に見ても、作品発祥のイギリスをはじめ、オーストラリアとアメリカでしか運行されていない。

トーマス号を含め、SL の運行・整備には必要な知識や技術を有する整備士および乗務員（機関士・機関助士）が必要である。しかし、多くの鉄道事業者で SL の運行・整備に必要な知識や技術は、口承により継承されてきた。大井川鐵道は、30 年以上かけて年間 300 日以上にわたり SL を運行できる整備環境を整えてきた。日本の鉄道事業者で失われつつある SL の整備技術を大井川鐵道が有することは、社会的にも注目されているといえよう。たとえば、東武鉄道が、2017 年より開始した SL の運転再開に向け、すでに SL を運行して

いる大井川鐵道などの鉄道事業者からの協力を得て乗務員の養成を図ったことがあげられる。また、大井川鐵道では、SLが牽引する客車のほか、普通列車にも大都市圏からの譲渡車両を使用しており、旧型のため整備や修理に苦慮することが多い。それでも、大井川鐵道は、自社で整備士を育成しつつ、旧型車両を観光資源として活かした運行を継続している。

5　観光資源維持への取り組みと支援

　大井川鐵道では、日本の鉄道において過去の存在となった鉄道車両や施設を観光資源として活用している。これらは、かつて日本各地で日常的な輸送サービスとして存在した地域資源であり、技術革新により姿を消したものである。たとえば、SLに牽引される客車は、旧型の非冷房で若干狭めの向かい合わせ型のボックスシートである。また、SLから排出されるススは、周辺環境を汚すことがある。これらは、移動の快適さを求め近代化とともに失われてしまった車両設備であるが、大井川鐵道はこれらをSLの運行を軸とした観光資源として活用したのである。

　その際、大井川鐵道は、沿線の地域住民からも理解や協力を得て様々な活動を展開している。たとえば、SLの運行では、旅客にススに対する注意喚起を促し、毎回欠かすことのないSLのメンテナンスにより、ススによる負の影響が最小限となるようにしている（図8・4）。駅の整備では、沿線の地域住民がボランティアに近い形で協力するとともに、大井川鐵道の社長自身が駅の花壇整備を手掛けるなどしている。こうした、観光客や沿線の地域住民による、大井川鐵道の観光に対する好意的な理解から、SLやトーマス号の運行時に沿線の人々と乗車している旅客の双方が手を振

図8・4　SLの見送りに関する注意喚起
（筆者撮影、2020年9月11日）

りあうという行動も見受けられるのである。

　また、沿線自治体である島田市や川根本町のホームページ等では、観光関連の案内として大井川鐵道に関する情報を取り扱っている。こうした情報を俯瞰すると、「SL の運行」が沿線自治体の観光資源として役割を果たしているといえる。たとえば、2011 年に新金谷駅構内にある車両基地に転車台が設置された。この整備に島田市は、「SL を活用した観光振興」を図るための観光施設整備経費として、約 9000 万円を負担している[*12]。一般の列車と異なり、SL には、列車の正方向が存在する。2011 年以前は、新金谷駅側にターンテーブルが設置されておらず、SL の正方向運転は、新金谷駅から千頭駅方面の運転に限定されていた。

　このように、大井川鐵道は自治体から観光振興に関連する一部支援を受けることもある。大井川鐵道は、私企業であり公共交通サービスを提供することが主目的である。しかし、沿線自治体は、大井川鐵道に対して公共交通サービスの提供者であると同時に地域 PR 可能な観光資源を有する鉄道事業者として評価していることがうかがえる。

8–5 ｜ 国際戦略も包含した内発的地域振興

　近年、日本の文化、地域社会が国際的な観光資源として受け入れられている。日本人を魅了する観光コンテンツを創造することは、外国人観光客をひきつけることにもなる。国際戦略も包含した内発的地域振興の展開として見た場合、日本人観光客と外国人観光客の双方から親しまれる取り組みが求められる。この背景として昨今、新型コロナウイルスの感染拡大により外国人観光客の訪日が困難となっていることもある。こうした実態を俯瞰すると、外国人観光客に過度に依存するのではなく、日本人と外国人の双方が訪れる観光振興が求められている。

　大井川鐵道では、観光資源化を目的とした車両の整備・運行において、鉄道事業者が主体となる内発的な展開がなされている。これは、日本の発展の

過程で失われてきた「懐かしさ」を観光資源とするものであり、日本人をはじめ外国人観光客からも評価され、多様な人々を呼び込むものとなっている。2020年の新型コロナウイルス感染拡大時には、外国人観光客が訪れることができなくなっても、日本人観光客が一定数訪れていた。先にも述べたように、こうしたことが国際戦略も包含した内発的地域振興の展開に求められることなのである。そして、SLを中心に自社の経営資源の多角的な活用を図り、観光客の訪問を導き出すための価値を創造する地域イノベーションの展開につながっている。

　鉄道を含め様々な地域資源が観光客を呼び込む観光資源としての機能を有している。観光資源を活用する取り組みの過程の中で、沿線の自治体や住民を巻き込み、多様な人々を受け入れることが、国際戦略も包含した内発的地域振興に求められることである。

[参考文献]

・市川宏雄（2015）『人口減少時代の鉄道論』洋泉社
・大橋昭一（2010）『観光の思想と理論』文眞堂
・外務省（2017）「特集　日本列島　鉄道の旅」『にぽにか』no.20（https://web-japan.org/niponica/index_ja_20.html）
・楓森博（2010）「鉄道会社と観光ビジネス」谷口知司編著『観光ビジネス論』ミネルヴァ書房、pp.43 〜 60
・清成忠男（2010）『地域創造への挑戦』有斐閣
・小林哲（2016）『地域ブランディングの論理』有斐閣
・堺屋太一（2012）『人を呼ぶ法則』幻冬舎
・坂西明子（2017）「交通需要の特性」日本交通学会編『交通経済ハンドブック』白桃書房、pp.34 〜 35
・佐藤信之（2013）『鉄道会社の経営　ローカル線からエキナカまで』中央公論新社
・篠崎彰彦（2015）「情報化とグローバル化の大奔流を地方創生にどう活かすか　ネットと結びついたインバウンド消費とふるさと農政の取り組み事例」一般社団法人土地総合研究所編『明日の地方創生を考える』東洋経済新報社、pp.106 〜 131
・島川崇（2002）『観光につける薬　—サスティナブルツーリズムの理論—』同友館
・須賀寛（2017）『日本の観光　きのう・いま・あす』交通新聞社
・田中輝美（2016）『ローカル鉄道という希望　新しい地域再生、はじまる』河出書房新社
・谷口知司（2010）「観光と観光ビジネス」谷口知司編著『観光ビジネス論』ミネルヴァ書房、pp.1 〜 20
・鶴見和子（1999）『鶴見和子曼荼羅9（環の巻）　内発的発展論によるパラダイム転換』藤原書店
・寺岡伸悟（2019）「鉄道」遠藤英樹、橋本和也、神田孝治『現代観光学　ツーリズムから「いま」がみえる』新曜社、pp.202 〜 209
・新納克広（2017）「鉄道ビジネスと観光」塩見英二編著『観光交通ビジネス』成山堂、pp.73 〜 85
・公益財団法人日本交通公社編著（2019）『観光地経営の基本と実践　第二版』丸善出版

・野中郁次郎、竹内弘高（1996）『知識創造企業』東洋経済新報社
・溝尾良隆（2011）『観光学と景観』古今書院
・森本知尚（2012）『公共交通の過去と未来』御茶の水書房
・安田亘宏（2015）『観光サービス論 ―観光を初めて学ぶ人の14章―』古今書院
・安村克己（2015）「観光と教育・福祉」前田勇編著『新現代観光総論』学文社、pp.145～153
・山田真茂留（2010）『早稲田社会学ブックレット 社会学のポテンシャル6 非日常性の社会学』学文社
・吉田春生（2016）『観光マーケティングの現場 ―ブランド創出の理論と実践』大学教育出版
・和田尚久（1999）「地方鉄道存続方途としての上下分離方式 ―地域価値財としての京福電鉄㈱越前線―」『福井県立大学経済経営研究』第6号、pp.59～69
・和田尚久（2001）「地方鉄道の現状と課題 ―京福電鉄越前線を例として（特集 地域公共交通の再生を求めて）」『地域開発』442号（2001年7月号）、pp.34～38

［注］

＊1　鶴見（1999）p.32
＊2　観光立国懇談会（2003）『観光立国懇談会報告書』p.5
＊3　篠崎（2015）p.106
＊4　島川（2002）p.41
＊5　山田（2010）p.88
＊6　森本（2012）p.64
＊7　和田（2001）p.38
＊8　寺岡（2019）p.205
＊9　外務省（2017）p.4
＊10　外務省（2017）p.20
＊11　2012年のNo.7以降のバックナンバーが外務省ウェブサイトで確認できる。
＊12　島田市『平成23年度 決算に係る主要な施策の成果に関する報告書（一般会計）』p.185、https://www.city.shimada.shizuoka.jp/fs/9/1/5/5/5/_/23kessansyofuzokuippan.pdf

第9章

観光まちづくりと国際戦略
──福祉観光都市・岐阜県高山市

9-1 │ 観光弱者に目を向けたまちづくり

　観光まちづくりは、地域の町並みや生活文化といった個性を活かす方策を通じて、観光客と地域住民の双方から見て、多様な人々の生活満足度を高めていくことが求められている。この背景には、人々にとって観光が身近な存在となったことに加え、少子高齢化といった課題解決の方策として注目されていることが挙げられる。1人1人の身体やコミュニケーション能力などの状態は、様々である。こうした人々が生活満足度を高めていく際、自分自身では乗り越えることが困難なバリア（障壁）も存在する。障がい者や高齢者であれば、障がいや年齢等による身体的な状態、外国人であれば、異文化への対応に必要なコミュニケーション能力などによって、彼らの観光行動には障壁が存在することが多い。多様な観光客層が存在する中で、自らの行動では乗り越えることが困難な障壁への対応を検討する必要がある。そうした障壁に対してこれまで、障がい者や高齢者に対してはバリアフリー化、外国人観光客に対しては情報やコミュニケーション方策の見直しといった様々な方策が実施されてきた。それにより、観光行動の場面において移動が改善され、様々な人々が、自身の意思決定により観光行動を展開できるようになっている。これは、生まれた国や身体的

な状況を問わずすべての人々の幸福の実現を目指す福祉にかかわるもの[*1]である。

　本章では、外国人観光客をはじめ、観光行動を行う多様な人々の中でも、配慮が必要な人々を広く観光弱者と捉え議論を進める。こうした障壁を緩和させる取り組みは、これまで訪れていなかった人の層を新たな観光客として呼び込む需要創造である。また、観光客と同じ障壁を持つ地域住民にも有効な方策となり、生活環境の満足度を高めていくものとなる。こうした取り組みは、観光まちづくりによる地域イノベーションともいえよう。本章では、歴史的な変遷を踏まえ、伝統的建造物や朝市などを目的に多くの人々が訪れている岐阜県高山市（以下、高山）の中心市街地を軸に検討を試みる[*2]。

9-2 ｜ 観光まちづくりと福祉

1　観光まちづくりの考え方

　観光まちづくりは、地域に根差す歴史や文化を観光資源として活用し、「観光」による「まちづくり」を通じて地域振興の展開を試みるものである。1990年頃より、地域に根差す歴史や文化を活用するために日本各地で取り組まれてきた。

　観光まちづくりに関する活動は、地域資源の活用方法や活動で中心的な役割を果たすキーパーソン、組織づくりと運営などに着目し日本各地で実施されている。観光まちづくり研究会（2000）は、観光まちづくりを「地域が主体となって、自然、文化、歴史、産業など、地域のあらゆる資源を生かすことによって、交流を振興し、活力あふれるまちを実現するための活動」[*3]と定義している。観光資源を活用した、交流人口拡大による地域振興の持続性には、地域の主体性や地域住民への還元といった視点が求められる。観光まちづくりの事例を俯瞰すると、地域住民の生活環境向上や地域課題の解決といった想いを原動力として、地域に賑わいや経済的効果をもたらすことを目指している。観

光政策審議会（1995）は、「観光まちづくりの推進」として「住民や来訪者の満足度の継続、資源の保全等の観点から持続的に発展できる『観光まちづくり』を、『観光産業中心』に偏ることなく、『地域住民中心』に軸足を置きながら推進する必要がある」*4 と述べ、観光まちづくりを通じて観光客と地域住民の双方の満足度を高めていくことの必要性を指摘している。

　ここで、「観光」と「まちづくり」の双方の意味から観光まちづくりの検討を試みる。観光まちづくりの「観光」の視座は、地域内からの主体性に基づく意思である。すなわち地域の主体性を意識した観光の活性化策を示すものであり、「着地型観光」などと称されることもある。この背景には、地域外の観光事業者が主導する観光開発に対する問題提起があるともいえよう。人々の観光行動が一般化され、多くの人が観光している状態を「マスツーリズム」と称することがある。その際、観光地化が進行する過程において、①地域の主体性が欠落し、②観光客の受け入れ超過が起こることで、地域に利益が還元されなかったり、地域の環境破壊につながる場合がある。観光振興には、観光開発による観光客の増加による「マスツーリズム」で生じる課題をコントロールして、持続的な活動を目指すことが必要である。

　観光まちづくりにおける「まちづくり」とは、地域が主体となり、地域課題の解決に向けた活動を行うことである。この背景には、外部資本による地域開発に対する問題提起もある。こうした地域開発は、一定の経済効果をもたらすことと合わせて、地域の側に開発に必要なノウハウ等が不足していても問題ない。しかし、観光開発と同様、得られた利潤が地元に還元しにくいことや地域環境が変貌する課題もあった。こうした時に、地域環境の保全等を目的に、内発的かつ持続的な活動を目指し、観光まちづくりが展開されるようになった。

　観光まちづくりは、日本各地で展開され、地域の主体的な活動を通じ地域の独自性を醸し出すことで一定の成果を収める地域も出てきている。地域内からの自立的な活動を通じて、人々の生活満足度の向上を目指していく観光まちづくりは、観光客と地域住民の双方に便益をもたらすことにより、地域振興の展開を目指すものといえる。これは、より多様な人々への対応を目指した地域づ

くりが求められているとも考えることができる。

2 観光弱者を包括的に捉える視点

　観光は、外国人、日本人を問わず観光客の1人1人がより良い生活を求めて行う余暇活動の一環である。その一方で、観光客が訪れる地域の住民にとっても、観光振興の展開により生活環境等が改善されることが望ましい。観光まちづくりを観光客と地域住民の双方におけるより良い生活を目指す仕組みを考える方策とするならば、広く福祉の一環としても考えることができよう。鶴（2019）は、「『福祉』は、障害の有無や性別、年齢、生まれた環境などに関係なく、誰もが生活を営んでいく上で必要とする礎（ベーシックニーズ）を国や政策や法律などによって保障し、それらに位置づけられた制度や事業といった社会資源を個人の状況に応じて提供利用できる体制と人的資源が整っていること」[*5]と定義し、それは、生まれた国や身体的な状況を問わずすべての人々の幸福の実現であるとしている。糸賀（1968）は、「人間の欲求は、不満の解消にとどまらず、さらにより良き生活を求め、より高い水準を目指して進展する」[*6]と述べ、福祉は人々の生活水準の向上を図ることにより達成できるとしている。福祉について様々な論者に共通する指摘は、1人1人の幸福の実現に向けて、より良い生活を送れるよう欲求の充足により達成できるものだということである。

　一方で、この実現には、1人1人が、様々な領域の中から、自身の選択による主体的な社会参加を通じて自己実現を達成することが可能な環境づくりが求められる。つまり、1人1人が、自らの意思により自立的な活動を展開していくことは、1人1人における生活の質的な向上と言えよう。

　その中で観光は多くの人々の生活の中で身近な存在となり、人々の生活の質を高めていく余暇活動としての期待が高まっている。同時に、地域の側でも少子高齢化など地域が抱える課題解決に向け、より多様な人々を受け入れる必要があることを考えようとしていることがうかがえる。安村（2015）は、「21世紀を迎え、少子高齢化の問題から福祉が議論され、同時に観光が人々に浸透

してくると、福祉と観光の関係が注目されるようになってきた」[7]と述べ、観光が多様な層の人々が関わる余暇活動であることから福祉の実現に欠かせない活動であるとしている。観光振興を目的として見ると、障がい者や高齢者、外国人等、観光行動に支援等が必要な人も存在する。こうした、観光行動に必要な支援について、政策や制度等として見た場合、障がい者や高齢者の受け入れは、社会福祉からの視点が強く、外国人の受け入れは経済振興からの視点が強い。制度・政策は、障がい者や外国人を区分して実施されている。それぞれ、観光客としての地域の受け入れは、所期の目的が大きく異なるからである。たとえば、障がい者の受け入れは、福祉施設や家族の中に包摂され社会から隔離される存在に社会参加を促すことが発端であった。そこに、将来日本が迎える高齢化社会に備えるといった観点から、バリアフリー化への取り組みが大きく進展した。それに対して、外国人観光客の受け入れは、国際社会の対応や外貨の獲得といった観点が大きい。しかし、地域の中の多様性として考えると、両者を垣根なく包括的に考えていく視点が、観光まちづくりに求められている。

3　多様な観光客層の受け入れ

　本章1節でも述べたように、身体的に障がいを有する人や高齢者、生活文化が異なる外国人など、観光弱者と言える人たちが観光行動をする場合、日本人の健常者である観光客には発生しない何らかのバリアが生じることがある。観光弱者も特別視されることなく円滑に観光行動をするには、制度や施設が整備されることが肝要となる。それにより、彼らが健常者にはない費用などの追加負担を負うことを抑制する必要がある。

　観光まちづくりにおいて、こうしたバリアとなる障壁の負担軽減は、すなわち自律的に参加（≒社会参加）できる環境づくりである。それは、観光振興の側面から見た場合、新たな顧客の獲得となる。同時に、地域住民の視点から見ると、生活環境の満足度を高める地域づくりに有効な方策となる。つまり、様々な他者との共生を目指し、1人1人がより良い生活を送れる環境づくりは、これからの国際化に対応した地域づくりとして求められることである。

近年では、「バリアフリー」のほかにも「アクセシブル」「ユニバーサル」と称し、観光弱者を幅広く支援する観光サービス提供のあり方が模索されている。これは、障がい者福祉の基本理念でもあり、身体的状態などを問わずすべての人が同じ環境で過ごすことが通常であるというノーマライゼーションに基づく考え方である。2005年に世界観光機関（UNWTO）は、「誰もができる観光（Accessible Toursim for All）」を提唱した。このように、ノーマライゼーションに基づく考え方が人々の観光行動の制度づくりにも及んでいることがわかる。

　ただし、観光弱者といっても、年齢・身体等に応じ困難な状況やニーズは1人1人で異なる。たとえば、身体に障がいがあり車いすを利用するような場合、歩道等の段差は彼らの移動の障害となる。しかし、視覚が不自由な人は、歩道と車道の区別などを段差があることで判断する。そのため、まちなかにある点字ブロックは、車いすを利用する人にとって段差であるが、視覚に障がいを持つ人にとっては大切な道しるべとなる。したがって、1人1人で異なる障がいへの対応をすべて満たした整備は難しい。1人1人、状態が異なることを前提に、観光行動における障壁となる差を小さくすることが福祉的対応として求められることである。つまり、観光弱者自身が、1人の観光客として観光を楽しめたという実感が得られることが重要なポイントといえる。そのためには、旅程を工夫することで観光行動の質を高めていくことも必要であろう。

　このように、観光まちづくりを通じて、観光客と地域住民の双方の生活満足度を高めていくことは、地域の福祉水準を高めていくものとなる。多様な人々の欲求の高度化への対応に向けた取り組みは、地域イノベーションともいえる。以下では、多様な観光客層の受け入れに向けて、先進的に取り組んできた岐阜県高山市を取り上げる。

9-3 | 福祉観光都市・高山の取り組み

1 住みよいまちは行きよいまち

　岐阜県高山市は、飛騨地方の中央に位置する。中心市街地の一部で江戸時代に整備された町並みが、伝統文化都市を象徴する観光資源として人々をひきつけている。高山市の「観光統計」から合併以前の高山市の入込観光客数を見ると統計を取り始めた 1970 年より 1980 年代は 200 万人前後を推移している。ところが、バブル崩壊などを受け 1990 年代は減少傾向となり、1993 年にはピーク時（1990 年）の約 2 割減となった（図 9・1）。当時は、修学旅行生や若い女性といった特定の観光客層を呼び込むことに力が注がれていた。

　1990 年代の観光客数減少を契機に、土野守市長（当時）[*8] は「住みよいまちは行きよいまち」という理念を掲げた。これは、すべての地域住民が住みよい環境は、訪れる観光客にとっても過ごしやすい、という福祉観光都市づくりを目指すものである。この時に、「すべての市民」と掲げることで、高齢者や障がいがある方といった自律的な観光行動が困難な人々を新たなターゲットとしようとした。観光地となる地域のバリアフリー化を推進し、観光弱者の障壁を減少させる取り組みを進めたのである。バリアフリーという概念が未熟であ

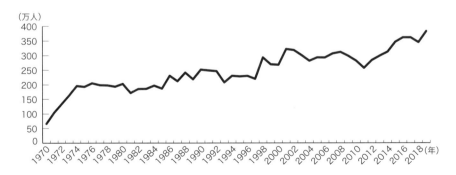

図 9・1　旧高山市の入込観光客数の推移

（高山市商工観光部観光課『平成 31 年・令和元年 観光統計』をもとに筆者作成）

った時代において全国に先駆けて、観光客と地域住民の双方に便益をもたらす福祉観光都市づくりを目指した背景には、高山市内の高齢化へ向けた対策がある。観光まちづくりを通じて、地域の福祉水準を高めようとしたのである。このように、高山市の観光まちづくりは、観光客の多様性に目を向けるとともに、地域政策の中に反映させることで観光客と地域住民の双方の満足度を高めようとした。

2　モニターツアーによる観光弱者の受け入れ

観光客の中でも観光弱者を受け入れていくためには、彼らの移動をはじめ日常行動の支援のための施設整備や知識等が必要である。しかし、当時は、ノーマライゼーションやバリアフリーに関する考え方や制度等が未整備であった。高齢者や障がい者といった観光弱者を受け入れていくという発想や先進的に取り組んでいる地域は、高山市を含めて日本になかった。

1996年から高山市の補助により、高山市外在住の車いす利用者など移動に支援が必要な高齢者や障がい者を対象としたモニターツアーが実施された。これは、リフトつきのワゴン車を利用し、観光弱者が高山市内の観光行動をする時に生じるバリアを検証するものである。モニターツアーは、飛騨高山観光客誘致促進東京事務所が、旅行会社を介して集客を図った。無関心者の参加防止のため、低価格ながら参加者から費用徴収をした。モニターツアーに参加した観光客は、海外旅行など観光行動を積極的にしていた人たちである。そうした移動に支援が必要な身体的状況の観光客から、海外での先進的な取り組みや高山での課題について、アンケート・コメントを得ることができた。モニターツアーは、1996年から2010年の期間に年1、2回のペースで、17回実施された。参加者は延べ342人（うち観光弱者の支援者138人）であった。高山は、こうした地域外との相互作用を通じて地域振興を展開していった。

モニターツアーに参加した観光客から出てきた感想や意見等は、飛騨高山観光客誘致促進東京事務所が報告書としてまとめて、高山市内の各行政組織が閲覧した。その際、社会福祉協議会など福祉や、都市計画、交通など行政組織の

縦割り的な対応を排除し横断的に対応をした。また、モニターツアーの参加者からの指摘箇所について、各部署が必要と判断した点に関しては、改善を実施している。そうした必要な施設改修において、その一部の助成も実施した。

　飛騨高山観光客誘致促進東京事務所が中心となり、観光弱者も受け入れていくことの重要性を訴え、地域の関係事業者との協力体制を構築していったことも忘れてはいけない。モニターツアーの対象とならなかった施設には、観光バリアフリーに関するマニュアルを配布するなどして意識の醸成を図っていった。民間事業者には、観光弱者を受け入れるために必要な施設改修に対する助成を実施した。モニターツアーの回数を重ね、まちなかにある段差解消や施設整備が進んだ。そして、蓄積されたノウハウや施設などを活かし、PR など誘客の方法の模索を展開するようになった。

3　公共空間の福祉的整備

　市は観光弱者を受け入れていくために、高山駅を中心とした半径 1km 圏内をバリアフリー関連の重点地区とした。そして、1995 年から 2010 年の間に公共空間の中でも道路の段差解消やトイレなどのハード面の整備を実施した。

　高山は江戸時代に城下町として整備されてきたものが現在の市街地の原型であり、車社会が進行した今日の状況から考えると道路が狭い。また、道路整備の時期や工法の違いから段差が多く存在していた。そのため、歩道は車道とほぼ同じ高さにすることで段差解消を図った。また、歩道の幅員を車いすがすれ違える程度にまで拡幅した。同時に、車道と歩道の区別をつけるために歩道部分にカラー舗装を施した。道路が狭く歩道拡幅ができない箇所は、センターラインをなくし、車両のスピードを出しにくくする改良をした。

　また、まちなかにあるグレーチング（側溝の蓋）を 1cm 以下の細い網目のものに取り換えた。改良前は、グレーチングの網目が粗く車いすの車輪が入り込んでしまっていた。しかし、雪国である高山では、グレーチングの網目から降り積もる雪を排水溝に落とす重要な役割を担っていた。そこで、グレーチングに取手をつけ開閉可能なものとし、冬季の降雪時にはグレーチングを開き排

水溝に雪を捨てられるように改良した。グレーチングの改良は、車いすだけではなく、かかとが高いヒール、ベビーカーやキャリーカートなどの車輪が網目へ入り込むのを防止することにも寄与するものとなっている。

　また、高山市内の公衆トイレ、公的施設、宿泊施設に車いすの利用者が使用可能な広さを持つ多目的トイレの設置をした。同時に、オストメイト、ベビーベッドや着替えができるスペースも併設した。多様なニーズに応えるトイレが整備されたことは、観光客や地域住民を問わず、より多様な人々に便益をもたらすものである。高山では、重要な観光資源や交通施設に接近する場所などの観光行動のポイントとなる場所に関して、バリアフリー整備が重点的に行われている。たとえば、代官・郡代所跡の高山陣屋（国指定史跡）では、入口に折り畳み式のスロープを用意し、建物内の段差には木製のスロープを設置した。こうした、道路やグレーチングの改良、多目的トイレやスロープなどの整備は、健常者の場合、当たり前のように利用することがあっても、その改良された価値に気づきにくい部分でもある。しかし、たとえば道路整備による導線の改良は、車いす利用者のみならず、大型キャリーバックを使用する外国人観光客などにとっても移動の円滑さを支援するものといえる。多様な人々に受け入れられることが重要な取り組みと言えよう。

4　伝統的観光資源における福祉的対応

　江戸時代に整備された古い町並みを構成する１つ１つの建物は、民間の個人や事業者が所有・管理している。そうした人々が、伝統文化都市を象徴する歴史的な価値を守るために町並みを保存することを目的に、町並み保存会を結成している。「申し合わせ事項」として商店の看板の色彩や素材、商品の陳列方法などに関して取り決めている。その中には、バリアフリー化など観光弱者を受け入れていくための取り組みもある。たとえば、町並みに配慮したスロープを設置し、道路から店内までの段差を緩和している。また、車いすの利用者の高さから商品を手に取りやすいよう、陳列棚を低くしたり、すれ違えるように通路の幅を広く確保したりする、といった工夫をしている。一部の店舗は、

図9・2　店内の段差解消
（筆者撮影、2020 年 3 月 9 日）

図9・3　バリアフリー化したトイレ
（筆者撮影、2020 年 3 月 9 日）

多言語対応と段差の解消に加え、広めのスペースを確保したトイレを設置していた（図9・2、9・3）。伝統的建造物のため段差の解消が難しい箇所には、それを明示し注意喚起することも、人々の移動の安全確保に必要なことである。入口付近に看板を設置することで、すべての人に対して注意喚起している事例も見受けられた。また、イラストを用いた案内は、多様な国籍の外国人観光客でも視覚から理解できるものである。

　高山では、陣屋前広場の「陣屋前朝市」と宮川沿いの「宮川朝市」の2か所で毎日朝市が開催されている。飛騨地方の特産品、民芸品などをどちらの朝市も販売している。福祉的な観点で見ると、どちらも、商品陳列している棚は背が低いものを使用し、道に段差がないことから車いすを利用する観光客も商品を手に取りやすい。また、外国人に向けた外国語表記は、最低限ではあるものの、十分に朝市を楽しむことができる。

9-4 | 福祉観光都市の展開を活かした情報発信

1 福祉的対応の PR

　高山では、福祉観光都市として取り組んできたことを、市の総合計画や条例に取り入れた。制度化していくことで、観光まちづくりの福祉的対応を多くの人に共有できる状態にしていった。たとえば、2005 年に「高山市誰にもやさしいまちづくり条例」を制定し、観光弱者に対するサービスの質の向上を目指していった。そして、高山では、観光弱者の受け入れを整備した時期に、バリアフリー関連の会議やイベント等の誘致を実施した。「福祉観光都市」として様々な観光弱者を受け入れるための取り組みの成果に関する講演や市内視察会、会議などを実施することで、福祉的対応を国内外に広くアピールしたのである。高山は、福祉観光都市としての地域イメージの構築を試み、PR 資源として積極的に活用した。

　2001 年に開催した全国ノーマライゼーション推進高山会議では、全国から約 1000 名が参加した。2009 年に開催した ESCAP アジア・太平洋バリアフリー高山会議では、3 日間で延べ 900 名が参加した。

　こうした取り組みは、総務省の地域づくり大臣表彰、国土交通省のバリアフリー化推進功労賞を受賞するなど評価を受けた。つまり、高山の観光地としての魅力を発信しながら、国内外から福祉的対応を実践している観光まちづくりの先進都市の例として高い評価を受けているのである。そして、高山の取り組みは世界的にも注目されるグローバル戦略にもなっている。

2 バリアフリー施策とインバウンド施策

　観光弱者は、高齢者や身体的に障がいを持つ人だけではなく、言語や生活文化が異なる外国人もその対象に含まれる。高山では、1980 年頃よりインバウンド施策が始まった。背景には、高山市を含め国際観光モデル地区に 19 市町村（当時）が指定されたことがあげられる。これまでの取り組みを俯瞰すると、

図9・4　メニューの外国語表記
（筆者撮影、2019 年 2 月 24 日）

英語併記の案内板の設置、障がい者や外国人への対応や心がけについてまとめた「おもてなし 365 日」などの冊子の作成・配布などがあげられる。そして、高山市は、1986 年に国際観光都市宣言をし、インバウンド施策に本格的に取り組み始めた。その後、高山市は、2002 年に「誰にでもやさしいまちづくり構想」を策定し、バリアフリー施策とインバウンド施策を包括的に扱うようになった。観光地としてのインバウンド施策と、福祉施策の両者を包含する形で観光弱者の観光行動に生じるバリアの解消・軽減を目指す取り組みを実施してきたのである。近年は飛騨高山地域として、11 の言語による外国語のホームページの運営を始めるなど、近隣地域との協力や広域的な観光圏に向けた取り組みを行っている。

　高山の事業者による訪日外国人観光客に向けた取り組みとしては、商品のメニューや案内の多言語化に対応する試みを行う店も多く見受けられた（図9・4）。こうしたサービスは、個々の事業者の自助努力に依拠するところが大きい。店主の手書きにより作成されたものも見られた。このように、地域の中から観光客が求めているニーズをくみ取る活動が発生することが観光まちづくりを考えていく上で大切なことである。また、一部の店舗には、日本語ができる外国人スタッフを雇用している店舗もある。そのスタッフは、日本語を話しつつ、外国語で外国人観光客にも接客していた。このような移住者が働いていること

は、「住みよいまちは行きよいまち」の理念に適うものと言えよう。

　近年では、インバウンドに関する様々な取り組みの中でも情報バリアフリー対策が積極的に行われている。たとえば、スマートフォンなどの充電を想定したコンセントの提供や充電器の貸し出し、無料 Wi-Fi のサービスなどがあげられる。こうしたサービスは、主に外国人観光客を意識した取り組みである。しかし、日本人観光客やそこに住んでいる地域住民も利用することができる。つまり、情報のバリアフリー化整備は、外国人観光客を意識した事業であっても、結果的にすべての人々にとって便益をもたらすものとなるのである。

9-5 ｜ 観光障壁を緩和する政策と自律的取り組み

　観光まちづくりの目的は、地域資源の持続的活用や課題解決を目指した地域振興を展開する中で、地域住民と観光客双方の満足度を高めていくことにある。

　岐阜県高山市では、全国に先駆けて、高齢者や身体的な障がいを有する人々や外国人観光客といった多様な観光弱者を新たな顧客とした集客を展開した。具体的には、他地域の先進的事例や国による制度などが未熟である中、観光地となる地域のバリアフリー化を推進した。「住みよいまちは行きよいまち」という理念を掲げ、地域外に在住する観光弱者の中でも高齢者や障がい者をモニターとして受け入れ、手探りで受け入れ態勢を整えてきた。そして、様々な条例を定めたり、事業として整備改良に向けた各種助成を実施したりして、活動を育ててきた。これは、観光面で見れば新たな顧客の開拓でありつつ、地域住民福祉の面では生活満足度の充実に向けたものであるといえる。

　それと同時進行で高山では、訪日外国人観光客に向け、情報環境の整備を展開してきた。このように観光まちづくりにおける活動の持続性という視点から見ても、新たな需要を定め、その受け入れに向けた課題を模索し、継続的な活動として展開している。こういった、地域の中の様々な関係者による自律的な取り組みにより、観光障壁を緩和させ多様な観光客層の受け入れに向けた礎をつくってきたのである。高山では、そのような取り組みを国内外に発信し、ア

ピールする試みもなされていた。

　福祉的対応としての観光まちづくりを見たときに、高山では、観光事業者による自律的な取り組みと自治体が整備する制度・政策の双方が機能しているといえよう。つまり、高山市が、様々な条例を定めたり、事業として各種助成を実施したりしている一方で、民間事業者は、1つ1つが、必要な取り組みを模索し、活動を展開している。このような、地域の中の様々な関係者による自律的な取り組みにより、観光弱者の観光行動にかかる負担が軽減されるのである。

　このように、観光行動で生じると考えられる課題に対して向き合い、その解消に向けた取り組みの集大成が、福祉的対応を考えた観光まちづくりなのである。その実現のためには、地域にある地方自治体、民間事業者など様々な関係者から協力を得つつ、様々な取り組みの積み重ねにより、地域の受け入れ体制をつくることが必要である。より多くの観光弱者が特別視されることなく観光行動中に発生する負担を減らし、観光サービスを消費する機会が拡大できるようになることが、より良い内発的地域振興につながるといえる。

［参考文献］

・伊藤薫（2005）「社会指標の特徴と生活水準の構成要素について」『Review of Economics andInformation Studies』vol.5（No.3・4）、岐阜聖徳学園大学、pp.1 ～ 39
・糸賀一雄（1968）『福祉の思想』NHK出版
・稲垣久和（2010）『公共福祉という試み　福祉国家から福祉社会へ』中央法規
・井上寛（2010）『障害者旅行の段階的発展』流通経済大学出版会
・桶川武朗（2006）「企業」小林末男監修『現代経営組織辞典』創成社、p.70
・加山弾（2013）「コミュニティーワーカーの職場」牧里毎治、杉岡直人、森本佳樹『ビギナーズ地域福祉』有斐閣、pp.105 ～ 128
・川村匡由（2013）「観光福祉の意義と方法」川村匡由、立岡浩『観光福祉論』ミネルヴァ書房、pp.12 ～ 19
・観光庁（2014）『平成26年度ユニバーサルツーリズム促進事業　ユニバーサルツーリズムに係るマーケティングデータ』
・観光まちづくり研究会（2000）『観光まちづくりガイドブック ～地域づくりの新しい考え方～「観光まちづくり」実践のために』（財）アジア太平洋観光交流センター
・杳掛博光（2013）「観光福祉の民間事業・活動」川村匡由、立岡浩『観光福祉論』ミネルヴァ書房、pp.70 ～ 86
・近藤鉄浩（2013）「社会福祉とは」西村昇、日開野博、山下正國『五訂版　社会福祉概論　その基礎学習のために』中央法規、pp.7 ～ 11
・武川正吾（2011）『福祉社会　新版』有斐閣

・鶴幸一郎（2019）「ソーシャルワーカーの課題と資格統合の必要性—現場から」鶴幸一郎、藤田孝典、石川久展、高端正幸『福祉は誰のために　ソーシャルワークの未来図』へるす出版、pp.14 ～ 43
・土井由利子（2004）「特集:保健医療分野における QOL 研究の現状　総論— QOL の概念と QOL 研究の重要性」『保健医療科学』第 53 巻 3 号、pp.176 ～ 180
・廣野俊介（2014）「身体障害者福祉法」小川喜道、杉野昭博『よくわかる障害学』ミネルヴァ書房、pp.120 ～ 121
・福重元嗣（2013）「ツーリズム産業の経済効果」櫻川昌哉『ツーリズム成長論』慶應義塾大学出版会、pp.25 ～ 62
・藤村正之（2013）「福祉をつくりあげる仕組み」岩田正美、上野谷加代子、藤村正之『ウェルビーイング・タウン』有斐閣、pp.29 ～ 44
・森本佳樹（2013）「地域福祉実践とは何か」牧里毎治、杉岡直人、森本佳樹『ビギナーズ地域福祉』有斐閣、pp.151 ～ 195
・安村克己（2005）『観光まちづくりの力学　—観光と地域の社会学的研究』学文社
・安村克己（2015）「観光と教育・福祉」前田勇編著『新現代観光総論』学文社、pp.145 ～ 153
・安本宗春（2017）「福祉水準を上昇させる手段としての観光　—移動弱者に対する観光参加機会の拡大—」『日本国際観光学会論文集』24 巻、pp.91 ～ 99
・安本宗春（2019）「福祉的対応を考えた観光まちづくり」島川崇編『観光と福祉』成山堂書店、pp.147 ～ 166

［注］

＊ 1　鶴（2019）p.19
＊ 2　高山市は 2005 年 2 月 1 日に周辺 9 市町村（丹生川村、清見村、荘川村、宮村、久々野村、朝日村、高根村、国府町、上宝村）を編入合併し、面積は約 2178km^2 となった。これはほぼ東京都と匹敵する大きさである。
＊ 3　観光まちづくり研究会（2000）p.26
＊ 4　観光政策審議会答申第 39 号『今後の観光政策の基本的な方向について』1995 年、https://www.mlit.go.jp/kisha/oldmot/kisha00/koho00/tosin/kansin/kansin3_.html、2019 年 12 月 30 日閲覧
＊ 5　鶴（2019）p.19
＊ 6　糸賀（1968）p.67
＊ 7　安村（2015）p.151
＊ 8　日下部尚・前市長の急逝に伴い、旧自治省大臣官房参事官などを歴任した土野守が新市長（第 9 代）に選出され、1994 年 9 月 4 日に着任した。

第10章

コンテンツのファンである観光客と「聖地巡礼」
——静岡県沼津市を舞台とした『ラブライブ！サンシャイン！！』

10-1 | 地域と人々を結ぶコンテンツ

　アニメやマンガ、ゲームの作品の価値を熱心に支持し、追体験を求めて作品の舞台となった地域を訪れる「聖地巡礼」を展開する人々がいる。日本で制作されたコンテンツは、完成度が高い作品が多く、「聖地巡礼」を展開しようとする人が多い。

　日本で制作されたコンテンツは、世界からも注目されている。たとえば、「今後はどんな日本のコンテンツを見たい？」という質問に対して、インドネシア、タイ、マレーシア、ベトナム、インドの各国は、「アニメ」または「マンガ」を1位に回答している[*1]。アニメやマンガは日本らしさのコンテンツでもある。内閣府は、外国人が日本の魅力として捉えるものを推進するクールジャパンの一環にアニメやマンガを含めている。世界中の人々から愛されるアニメ作品を生み出してきた制作会社・京都アニメーションで2019年に発生した放火殺人事件でスタジオ近くに設置された献花台には、日本人だけではなく外国人の姿も見受けられた。こうしたことから、日本でつくり出されるコンテンツは、世界中から人々をひきつけ、作品の応援者として価値を共有できる要素を持っているといえる。そうしたコンテンツのファンが、作中の理解を深めるために、

その作中で描写される地域に訪れることがある。つまり、コンテンツが、国内外を問わず人々や地域を結ぶ接点となるのである。

　本章では、コンテンツのファンが、その舞台となった地域を訪れる観光行動である「聖地巡礼」に着目し検討する。コンテンツの追体験を目的とした「聖地巡礼」は、観光の一部と捉えられることがある。「聖地巡礼」を目的として訪問する人々は、作品の価値をより深く体感することを求めている。そのために彼らは、コンテンツの中に登場した場所を探し、そこに赴くことを通じて、コンテンツと現実世界の狭間にいる錯覚を体感して満足を得ている。加えて彼らは、コンテンツの中では描かれていなかった地域の魅力を探そうとする。つまり、「聖地巡礼」には、訪れる人々による商品・サービスの消費による経済効果に加え、地域住民やファン同士の交流により、地域に賑わいをもたらす効果がある。

10-2 ｜ 「聖地巡礼」と観光による地域振興

1　コンテンツの追体験としての「聖地巡礼」

　2000年以降、「聖地巡礼」を目的とした観光客が増え、この言葉は広く人々に認知されるようになった。『平成の新語・流行語辞典』では2005年に「聖地巡礼」を取り上げ、「アニメや漫画・映画・ドラマなどの舞台になった地を訪れること。『オタクツーリズム』とも言う」[2]と定義している。河野（2015）は、「聖地巡礼」について「漫画・アニメなどの熱心なファンが、自身の好きな著作物などに縁のある土地を"聖地"と呼び、実際に訪れる現象」[3]とコンテンツの舞台となった地域を「聖地」として訪れることとしている。ただし、上記で述べた「聖地巡礼」は、宗教的な意味として使用される聖地巡礼と区別するために「コンテンツツーリズム」や「アニメツーリズム」とも呼ばれる場合がある。国土交通省・経済産業省・文化庁による「映像等コンテンツの制作・活用による地域振興のあり方に関する調査」の報告書では、「コンテンツツー

リズム」について、「地域に『コンテンツを通して醸成された地域固有の雰囲気・イメージ』としての『物語性』『テーマ性』を付加し、その物語性を観光資源として活用」[*4]することとしている。

　「聖地巡礼」をする人々は、アニメやマンガ、ゲームに熱中し、そのコンテンツに関連するCDや書籍の購入をする過程で、作中で出ていた地域（場所）を「聖地」として訪れてみたいと考えるようになる。2000年以降、アニメの数が増加するに連れ、実在の地域をモデルとした作品も増加した。モデルとなった一部の地域では、作品の舞台となったことをPRし、人々の受け入れ方法について模索するようになった。取り組みが活発化している背景は、彼らの受け入れが地域振興の一手段として考えられるからであろう。そうしたコンテンツに実在する地域が描写されている場合、コンテンツがファンと地域との接点となるのである。作品に描写された地域に訪れ、地域住民やファン同士の交流を通して、アニメでは描かれていなかった地域の魅力に気づき、地域により深くかかわっていく人々もいる。

　こうした、コンテンツの舞台を目的とした観光行動を行うのは、日本人だけではない。日本のアニメやマンガ、ゲームなどのコンテンツは、翻訳されるなどして世界各地で展開している。観光庁が実施している訪日外国人の消費動向調査で、訪日前に最も期待していたこと（全国籍・地域、単一回答）を見ると、「映画・アニメ縁(ゆかり)の地を訪問」や「日本のポップカルチャーを楽しむ」が、全体の1割程度存在している[*5]。全体的に見てアニメや実写映画などのコンテンツを目的とした観光客は、決して多いものではなく、同様に日本人観光客の中でも総数ではごく一部である。それでも、訪日外国人観光客、日本人観光客の双方に、コンテンツの中で登場した光景を、自分自身の目で見て歩いてみたいという人々が一定数存在するのは確かである。

　そうした観光客は、後述するように、国内外を問わずコンテンツに対して強く興味関心を持つ「ファン」や「オタク」とされ、作品を強く支持する応援者である。それゆえ、作中に描写される現実は、神聖なものであり、地域への関わりを大切にしようとする。

2　コンテンツのファンである観光客

　観光客には、観光対象に対する価値を支持し理解や関わりを深めていくことを目的に行動する人々もいる。「聖地巡礼」では、コンテンツに惹かれた「ファン」や「マニア」あるいは「オタク」などと呼ばれる人々が、その地域に訪れる観光客である。こうしたコンテンツのファンである観光客は、趣味の探求や自己実現が行動目的である。「聖地巡礼」をするファンである観光客は、作中に出てくる様々なキャラクターやそのストーリーに対して強く興味関心を持つ人々である。そして、コンテンツの作中にある地域資源を観光資源として、その価値を支持する意識やモチベーションが高い。

　ファンに関する文献では、商品販売のあり方について企業側の視点から議論されていることが多い。佐藤（2018）は、ファンについて「企業やブランド、商品が大切にしている『価値』を指示してくれる人」[6]と定義し、ファンをベースに事業の展開を試みる「ファンベース」の必要性を指摘している。上田（2007）は、「『ファンになる』とは、ある特定の他者やモノ・サービスなどの『応援者となる』ことであり、『応援する』という行為は、通常よりより良い状態へ向かうように、精神的・金銭的・人的、すべての面においてサポートする」[7]ことだと述べている。このようにファンは、特定の商品・サービスに対して興味関心を持ち支持をする応援者として捉えることができる。

　「聖地巡礼」を目的とした観光客となるファンは、国内、海外を問わず作品の価値をより深く体感することを求めている。彼らは、作中に描写される場所で、ファン同士や現地の人々と双方向的な関わりが形成されたとき、高揚や意識を高めることができるのである。そのために、作品を介在し、①ファン同士による価値の共有を行う、②地域に何らかの記録や実績を残す、といった行動により、ファン同士や地域と関わりを持とうとする。たとえば、現地に置かれている交流ノートにイラストを描いたり、各々の母国語でメッセージを残したりすることは、自分自身が記録を残し、過去の訪問者の書かれた内容を見ることによる、ファン同士の交流といえる。また、SNSにより、写真やコメントなどをアップロードし、それに対して不特定多数のファンからコメントをもら

ったりすることができる。それにより、コンテンツのファンである観光客は、「聖
地巡礼」の対象となるコンテンツの知識や情報の交換や共有を通じて、作品の
追体験による高揚を高めるのである。

3 「聖地巡礼」による観光振興の展開

　国内外を問わず、「聖地巡礼」を目的とした観光客は、作品への忠誠心の高
さが「聖地巡礼」をする動機である。作品に描写された地域は、作品に描写さ
れた様子に歩み寄ることにより、これまで縁がなかった市場を創出することが
できるのである。「聖地巡礼」をする観光客は、物見遊山のような観光客と比
べて、訪問地域に対する関心や意識が高い。その際、地域社会とコンテンツと
の融合が求められる。コンテンツのファンである観光客は、モデルとなった作
品コンテンツの追体験を重視する。そのため、作品コンテンツと地域社会との
関係が希薄な場合、地域住民に対する理解や協業が創造されないこともある。
地域がファンを受け入れるための取り組みをしているか否かも肝要となってく
る。そうした活動には、イベントや舞台となった場所の活用、交流スペースの
設置といったものがあげられよう。そのようにして、地域側の雰囲気や景観が
作品に歩み寄るのである。ファンは、そうした様子を見ることで、その地域に
認められたと認識する。そうした地域の変化を求めて、継続的に訪れるなど関
わりを持とうと模索することで当該地域のファンとなるのである。

　ファンである観光客自身が、SNSやブログなどを通じた情報発信をしてい
る。また、国内外を問わず、彼らは地域の状況に適合しようとする。外国人観
光客は、母国語によるインターネットの掲示板を利用したり、日本語を習得し
たりして、自らその地域の環境への対応を試みようとする。こうした外国人は、
少数であるものの、作品の魅力に惹かれたことを契機に、日本に対する理解を
深めていこうとしているのである。それゆえ、受け入れ地域は、多言語化対応
などで彼らの負担を最小限にしながら接点を持つ方策が求められるといえよう。
他方では、「聖地巡礼」はパッケージ旅行商品などになりにくい。そのため、
コンテンツの追体験を目的とした「聖地巡礼」をするには、日本語の習得をは

じめ、現地の状況に自ら対応することが求められるであろう。

　したがって、訪問地域における商品・サービスの消費活動に加えて、地域と何らかの形で関わりをつくろうという模索があることが、観光による内発的地域振興における「聖地巡礼」の特徴といえよう。こうした地域や人々との関わりを求めるのは、作品の価値を深く理解し、感動を共有したいという欲求があるからであろう。また、コンテンツに描写される地域に対しても、価値が共有されたときに継続的に関わろうとする場合もある。つまり、作品の魅力に適う地域づくりを展開することが、意識が高いファンの観光客を呼び込むことにつながるのである。

　そのため、「聖地巡礼」による観光振興の展開を考える場合、定期的に彼らが訪問するように継続的なイベント等や作品と地域特性に適うグッズなどを創造することが求められよう。コンテンツが制作されてから時間が経過しても、それに対して興味関心を持ち続け、観光客として作品の舞台に訪れるファンは一定数存在するのである。あわせて、持続的な観光振興を展開するためにファンと地域やファン同士の関係性を活発にしていくには、イベント等を通じて一体感をつくり出すことで、1人1人の高揚を高めていく取り組みが求められる。

10-3 ｜ 沼津市における「聖地巡礼」と地域振興

1　観光地として見る沼津市の概要

　静岡県沼津市は、静岡県東部にあり伊豆半島の西側の付け根に位置する。観光地として沼津市を捉えると、奥駿河湾から一望できる富士山の景観をはじめ、海産物を中心とした食資源を有することが強みとしてあげられる。また、富士・箱根・伊豆など知名度が高い観光地への交通の拠点として発展してきた。また、入込観光客数に着目すると、約400万人前後で推移している。ただし、宿泊者数は18％前後で推移しており、日帰りを中心とした観光客が多い。これは、東京から100km圏にあるとともに、鉄道や高速道路といった交通の利便性の

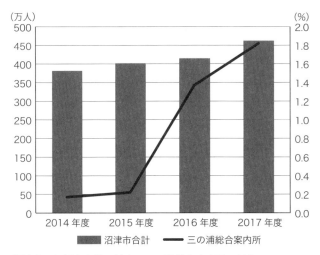

図 10・1　沼津市入込観光客数に対する三の浦総合案内所の割合
(静岡県文化・観光部観光交流局観光政策課『平成30年度　静岡県観光交流の動向』および三の浦総合案内所
の提供資料をもとに筆者作成)

高さによるものと考えられる。

　近年の沼津市の入込観光客数は増加傾向であり、この増加には、「聖地巡礼」
を目的としたファンが訪れたことによる影響もある。ファンの増加が確認でき
る場所の1つとして、内浦地区の三の浦総合案内所がある。もともと内浦地
区は、知名度が低く素通りする観光客が多かった。しかし、「聖地巡礼」を契
機として、沼津市の入込観光客数の2%が訪れるようになった（図10・1）。「聖
地巡礼」を目的としたファンの来訪は、沼津市の観光振興に相乗的な効果を与
えているのである。次項よりその具体的な取り組みについて見ていきたい。

2　製作者と地域との関係

　『ラブライブ！サンシャイン！！』は、2016年に株式会社サンライズが静岡
県沼津市をモデル地域として制作したアニメ作品である。2015年に株式会社
サンライズは、沼津市を舞台にしたこの作品の企画・制作の希望を沼津市に伝
えた。作品は、架空の学校「浦の星女学院」に通う9人の少女たちが、部活
動であるスクールアイドルをして、自分たちだけの輝きを探す内容である。

2020年現在、『ラブライブ！サンシャイン！！』は、ゲームやマンガ、雑誌、CD、ライブなど様々なコンテンツで作品を展開している。また、「みんなで叶える物語」を作品のキャッチコピーとしており、ファンによる参加型の企画[8]を実施している。

　作中で登場する施設やキャラクターの家などのモデルとなった場所は、沼津市に多く実在[9]している。同時に、作中に出てくる店舗の名前もそのままの場合が多い。株式会社サンライズは、アニメに登場する地域の風景をロケーションハンティングし登場する風景や店舗、施設などをほぼ形を変えることなく描いている。また、お店の従業員をモデルにしたキャラクターも描かれている。アニメ等でのエンディングテロップに出てくる協力企業では、沼津市内を含め、舞台となった店舗・施設が出ている。2016年の放映開始からアニメ1期と2期、CDのPV、映画で沼津の企業・施設の登場回数を数えていくと約80か所が作品に協力していた。

　スタッフらはロケーションハンティングの過程で、地域住民の人柄や雰囲気に対して好意的な印象を抱くようになったという。それは、製作者の監督や声優たちが、舞台となった場所を訪れ、地域の人びとに対して挨拶などをしていることからもわかる。キャラクターの声優グループであるAqoursは、プライベートでも沼津を訪れSNSに投稿し、ファンと地域との関係をつくる仲介者としての役割を果たしている。Aqoursが訪れ、サインなどが掲示された場所では、キャラクターが地域に本当に存在しているようにも感じられる。そうした様子に対して沼津市の人々は、スタッフや監督、声優など制作側である人々に「他のファン同様に物腰低く地域に訪れて、地域をとても大切にしている」という印象を持っている。沼津市では、地域の魅力PRに向け、「燦々ぬまづ大使」として、Aqoursを認証した。また、「沼津夏祭り・狩野川花火大会」にゲストとしてAqoursを招き、アニメのキャラクターたちが実際に沼津に住んでいるという設定でライブを実施した。

3 コンテンツのファンである訪日外国人観光客

百度（Baidu）は、中国のインターネットでの検索サイトである。この中で「沼津」と検索すると、沼津市の観光情報に加え、多くの「聖地巡礼」に関する情報が掲載されている。そして、関連語句には、沼津の「聖地巡礼」に関する言葉が掲載されている。つまり、中国人が、沼津の「聖地巡礼」に関する情報を発信していることがわかる。その他の検索サイトでも同様に「沼津」を入れて検索すると、「聖地巡礼」に関する情報が関連キーワードに多く掲載されている。アジア圏を中心とした訪日外国人観光客は、母国語で掲載された情報をもとにして、沼津の主要なスポットを調べて、現地を訪れている（図10・2）。中には、自分自身でマップを作成している人もいる（図10・3）。

このように、訪日外国人観光客は、日本人が翻訳した情報発信がなくても、彼ら自身の情報検索ツールで調べて訪れているのである。また、そうした外国人観光客は、友人などから構成される数名のグループで訪れることが多い。このグループの中に、日本語を話すことができる人がいるため、コミュニケーションに困ることは少ないようである。また、声優グループAqoursのライブ時には、海外の旅行会社がツアーを造成する場合がある。

図10・2　訪日外国人観光客の出身国。韓国、中国、台湾、香港からの観光客が圧倒的に多い（三の浦総合案内所）
（筆者撮影、2019年6月7日）

図10・3　ファンである訪日外国人観光客が作成したオリジナルマップ（三の浦総合案内所）
（筆者撮影、2019年6月8日）

沼津市は、新型コロナウイルスの感染拡大時に、沼津市を訪れたとされる外国人観光客からマスクの寄付を受けている。たとえば、中国上海在住というラブライブファンから、サージカルマスク1万枚の寄付を受けた。このマスクは、複数人の中国人ファンから寄付を集めて購入したものと考えられている。同様に台湾からも複数回にわたりマスクの寄付があった。これらは一例ではあるが、沼津は、コンテンツを通じて国際的に共感を得ることで、国際間の交流の可能性を引き出そうとしている。

10-4 ｜ ファンと地域との関わり

1　ファンの受け入れ態勢

　アニメ放映開始から徐々に「聖地巡礼」を目的としたファンが増加してきた。彼らの身なりは、キャラクターがプリントされたTシャツやストラップなどを身に着けた20〜30代の男性が多い。この中には、雰囲気や容姿から日本人と見分けがつかないものの、中国や台湾といったアジア圏を中心とした訪日外国人観光客も含まれている。アニメや「ファン」の行動目的について知らない地域住民は、彼らを物珍しく見ていた。沼津市は、早い時期から地域住民に対して、アニメや「聖地巡礼」に関する説明会を開催した。アニメの舞台となった店舗などが拠点となり、ファンが地域の人と交流することで理解を得ていた場合もある。

　そして、沼津市内をはじめとしたアニメにゆかりのある商店街などが各々自主的に連携および協力を始めた。商品やイベントの企画を取りまとめ、版権を持つサンライズと交渉することを目的に「ラブライブ！サンシャイン！！を応援する会」が発足した。この会は地域の事業者により構成されており、地域がにぎわっていく様子を見て参加しようとする店舗が増加している。上土商店街では、副理事を務める「つじ写真館」の峯知美氏が中心となり、「おかみさん会」[10]を通じてアニメを活かして地域を盛り上げることを目的とした取り組

図 10・4　つじ写真館の店内
（筆者撮影、2019 年 8 月 25 日）

みの説明会を実施した。その内容は、①毎週放送される『ラブライブ！サンシャイン！！』を鑑賞し感想を話す、②公式に販売されているキャラクターのプラモデルを自分たちで制作する、といったことである。

　商店街など高齢者が多い事業者にとっては、世代を超えた交流の契機になった。高齢者は、子どもたちからアニメを勧められると話に入りやすい傾向がある。一緒にアニメを鑑賞していた時、キャラクターの考えや成長していくストーリーに惹かれるものがあったという。中には自分たちで自作した服を着せ替え人形のようにプラモデルに着せる人もおり、商店街の人々の意識が変わっていった。「つじ写真館」では、Aqours のサインの掲示、キャラクターに合わせた店内の装飾、キャンパスアートなどの自作といった独自の取り組みを実施した（図10・4）。このファンとのつながりを絶やさぬように商店街とファンともども一緒にイベントなどを行い、地域を盛り上げていきたいという意識が高まってきた。

　その他にも、ラッピングバスや電車を運行する、商店街のアーケードに登場人物のイラストを掲示する、事業者が店内にラブライブコーナーを設けるなどの取り組みが行われている。ファンである観光客に対して、地域のイベントやアニメとのコラボ商品の企画実施など「何かできないか」と考え、地域の中か

ら自律的な行動が生まれた。これは、関係が希薄であった商店街同士の連携を促すものとしても機能している。このように、ファンである観光客の訪問と地域の受け入れに向けた取り組みの双方を各所で確認できる。こうした地域の状況を俯瞰し、必要な取り組みを展開していくことは、内発的地域振興を考える重要な視座である。

2　ファンの交流スポット整備

　『ラブライブ！サンシャイン！！』を契機に、地域の中で、ファンである観光客に向けた交流スポットの整備が進んだ。内浦地区にある三の浦総合案内所は、内浦の見どころに対する電話での受け答えや、宿泊施設の斡旋等を目的に整備された場所である。三の浦総合案内所には、ファンが持ち寄った看板やアニメグッズ、ポスターや自作の絵、聖地ノートなどがある。市の観光案内所および地元のファンの協力により、アニメショップを連想させる外装工事も行われた。三の浦総合案内所が紹介する内浦地区の宿泊施設は、旅館（12 軒）、民宿（10 軒）であり、総部屋数が 70 〜 80 室である。アニメ放映以前は、1 人での宿泊客を断っていた宿泊施設がほとんどであった。しかし、アニメ放映後の現在は、1 人でも宿泊を受け入れるようになった。

　内浦地区にある和菓子屋の「松月」は、2016 年のアニメ放映開始以降に作中で 6 回登場した。店の様子だけではなく店主も登場しており、店主に会うことを目的に来店するファンもいる。ラブライブ！シリーズの作中でこの店主のような男性キャラが登場することは珍しいことでもある。アニメの中で使用される曲を BGM として使用した店内は、ファンである観光客たちが持ち寄ったグッズなどで装飾されていた。店内の飲食スペースは、ファンの交流スペースにもなっている。ファンである観光客たちが訪れるようになったことを受け、店主自身がアニメを録画して見るようになった。

　沼津駅の目の前にあるラブライブのコラボカフェは、様々な飲食事業を展開している企業「ゆうだい」が観光客へのおもてなしの場として始めたものである。地域が『ラブライブ！サンシャイン！！』の聖地となってから売り上げが

大きく伸びたのは飲食関係である。このカフェはもともと駅ビルの跡地につくられたイベントスペースであった。

　事業者の中には、ファンから地域やファン同士をつなぐコミュニティの場がほしいという提案を受け、交流ノートを用意したり、店内にファン同士の交流スペースを設置したりしたところもある。そうしたスペースに、ファンがコンテンツに関係するグッズを持参し置いていく。この過程を通じて、1つ1つの店が、コンテンツの世界へと歩み寄っているのである。こうした様子を広く拡散することを目的に、情報発信のツールとしてツイッターなどSNSの活用を始めたところもある。

3　地域の回遊性を高める企画づくり

　沼津市の店舗では、ファンたちが持ち込んだグッズのキャラクターにより、推したいキャラクター（推しキャラ）が決定していった。各店舗の推しキャラが決まる過程は、①アニメのシーンやキャラクターのイメージなどに合わせてファンがグッズを持参する、②事業者がグッズを受け入れる、③その建物内をファンが持参したキャラクターを利用して装飾する、といった流れである。①の中で、ファンたちが持ってきたグッズのキャラクターが多かったものが推しキャラとなる場合が多い。地元のファンが大きなグッズを用意することもあり、飾り切れないくらいの数になる店舗もある。推しキャラの設定は、各店舗の商品やサービスの提供を促す機会にもなる。

　ファンである観光客が、楽しみつつ沼津市内を回遊することを促すために、いくつかの取り組みが実施されている。仲見世商店街は、アニメに関するキーワードラリーを展開している。キーワードを集めて応募すると、アニメグッズが抽選で当たるものである。「おいでよ沼津」は、2017年に中央公園の利用促進を目的として始まったイベントである。約2000人の来訪者で、地元の人よりもアニメのファンが多かった。成功を受け、地域の人たちの見方が変化し協力的になり始めた。第2回目は、アニメをモチーフにした提灯などを株式会社サンライズが提供し設置した。これを受け、商店街に約6000人の人々が訪

れた。三の浦総合案内所が一番初めに行ったラブライブとのコラボ企画はパズルラリーというもので、内浦の旅館連盟所属の旅館で 1000 円以上のお買い物、食事をした人にパズルピースを提供し、パズルを完成させていくという企画である。

　沼津市内の商店街では、タペストリーやポスターを掲げている。このタペストリーやポスターは、株式会社サンライズが提供した。また、ソニー株式会社による「舞台めぐり」では、沼津市の協力を受けオリジナルデザインのマンホールを制作した。これは、「沼津市 × ラブライブ！サンシャイン！！ヌマヅタカラプロジェクト」の一環として、クラウドファンディングにより資金を集めて制作設置したものだ。JR のデスティネーションキャンペーンでは、サンライズに協力を申請し描き下ろしのポスターを制作してもらった。

　こうした取り組みは、ファンである観光客の参加型イベントに類するものであり、地域との協同により実施されていることが多い。たとえば、キャラクターの誕生日が近づくとお誕生日イベントなどがよく実施されている。内浦地区では三の浦総合案内所を含む地域の旅館などが連携し、キャラクターのお誕生日イベントを実施している。上土商店街では、上土商店街に住んでいるという設定のキャラクターの誕生祭を催した。また、前夜祭として、1000 円以上の買い物をしてくれたお客様にバースデーシールを配る企画を実施した。そして、地域の行事など地域により関わりを持ちたいと考えるファンたちも出てきた。地域と密接にかかわるファンは、地域にもともとあったお祭りなどの行事や清掃ボランティアに参加している。たとえば、内浦地区の夏祭りは、「サンサン会」という約 15 人のメンバーで実施してきたが、アニメのファンが夏祭りの手伝いをしてくれるなど、地域に深くかかわっていこうとしている。

4　地域の回遊性を高める商品づくり

　「聖地巡礼」を目的として、現地に訪問しないと入手することができないグッズ等は、追体験による高揚を促すものとなっている。「街歩き缶バッジ」と「街歩きスタンプ」は、沼津市商工会議所が、「ラブライブ！サンシャイン！！を

応援する会」を仲介し、企画・実施している。「街歩き缶バッジ」は、1つ300円にて販売している。また、「街歩きスタンプ」は、街歩きスタンプ帳（500円）を購入し、商店等に設置されているスタンプを押していく（押印は無料）ものである。「街歩きスタンプ」と「街歩き缶バッジ」は、1つの店舗に1人のキャラクターと決まっている。このキャラクターは、取り組みが始まった頃は、各店舗の希望により決められていた。希望店舗が増えてきたことを受け、推しキャラは現在、「ラブライブ！サンシャイン！！を応援する会」が全体のバランスを見て決めている。「街歩きスタンプ」や「街歩き缶バッジ」のデザインは、定期的に更新されるだけではなく、イベント等の開催時限定で制作することもある。新しいデザインができることは、沼津を再訪する契機にもなっている。あわせてこうした企画は、今まで関わりが弱かった店舗同士の交流を促すことにもつながった。

「松月」の店舗や販売している商品の1つ「寿太郎みかん」をアニメの作中に使用することについては、自治体から話があった。オーナーは松月の名前やお店の外観がそのままアニメに登場することを知り、承諾した。アニメの中でも登場した「みかんどら焼き」は、1個180円であり土日には5600個ほど売れる。アニメ放映以前は1日50個ほどだったことと比べると、アニメファンの増加が店の販売実績にも影響している。このようなファンの増加と和菓子の販売増加を受け、従業員を新規で3名増やした。

静岡県のご当地菓子パンである「のっぽパン」や「くるくるミカンロール」をはじめ、『ラブライブ！サンシャイン！！』のキャラクターをパッケージに起用したお土産も登場した。また、「つじ写真館」では、峯氏の実家が珈琲の焙煎をしていたことから、つじ写真館限定でしか買えない珈琲を発売した。株式会社サンライズに許諾を得るまでには、1年半ほどの時間を要したという。

10-5 ｜ 「聖地巡礼」による国際的な地域のファンづくり

　「聖地巡礼」を目的として訪問するファンは、作品の価値をより深く体感することを求めている。そのために、アニメの舞台となった地域へ自らの足で訪れ、アニメの中に登場した場所を探すことにより、アニメと現実世界の狭間にいるような錯覚を体感して満足度を高めている。「聖地巡礼」は、ファンと地域における双方向の関係性を構築する手段である。

　「聖地巡礼」の対象となるコンテンツの知識や情報の交換や共有、すなわち①ファン同士による価値の共有、②その地域に何らかの記録や実績を残す、といったことを通じて、ファンはアニメ作品の追体験から得られた高揚を高めていこうとする。そのようなファンの熱心な取り組みは、その地域の意識を高めていくものとなる。ファンと地域やファン同士の関係性を活発にしていくには、イベント等を通じて、一体感をつくり出すことで、1人1人の高揚を高めていく取り組みを展開することが重要である。

　近年ではインターネットやSNSの発達により、ファン同士が簡単につながることが可能になった。SNSにより、ファンが写真やコメントなどをアップロードし、それに対して不特定多数のファンからコメントをもらったりすることができる。同様に外国人観光客は、彼らの母国語により情報発信をしている。

　さらにファンである観光客は、地域住民との交流を通して、アニメでは描かれていなかった地域の魅力を探そうとし、地域により深く関わっている。つまり、観光による内発的地域振興の視点から「聖地巡礼」を検討すると、地域の受け入れ態勢としてアニメと地域の親密な関係性を実感させるような取り組みが、ファンの満足度を高めているといえる。

　国際戦略の観点から観光振興は、活動の個性・特徴を磨き上げ、相手を魅了させることが肝要となる。そして、日本国内に在住する観光客から、外国人まで、多様な観光客層が訪れるようになることが望ましい。ただし、多様な観光客層の受け入れとして、地域を平準化する取り組みとは異なる。

沼津市において『ラブライブ！サンシャイン！！』が果たした役割は、主に20代〜30代の若者の男性を中心に、地域の魅力の再創造の契機をつくったことである。たとえば、沼津駅前の商店街にはキャラクターが描かれた看板やタペストリーが展示され、店頭にはそれぞれ異なったキャラクターがデザインされたスタンプが設置されている。これは、沼津市の関係者が、著作権を持つ株式会社サンライズとも協力して、実施してきた取り組みである。それに加えて、沼津市では関係する事業者が、自発的にファンとの交流スペースなどファン同士や、地域とファンとの関係ができる環境づくりを行ったことが大きい。それは同時に、沼津市内の事業者が商品・サービスを提供する機会となり、市内の経済効果に寄与している。また、アニメの中で背景として登場させるだけでなく、その地域の名産品や人柄、方言などのその地域にしかない何気ない日常を制作者がくみ取っていることが、地域の個性をPRすることにもつながっている。

　こうした、ファンと地域との良好な関係性が構築できたことは、ファンの再訪に寄与している。さらに、訪問したファンの中には、沼津の自然や地域の雰囲気に魅かれて移住する人もいる。また、新型コロナウイルス感染拡大時には、海外のアニメファンが、沼津市にマスクを寄付するということがあった。つまり、コンテンツを通じて、地域を応援しようとしているのである。このように、「聖地巡礼」で訪れたコンテンツのファンである観光客を沼津そのもののファンとして、継続的に訪れてもらえるような受け入れ態勢が求められる。

[参考文献]

・上田真弓（2007）『ファン・マーケティング　―Web2.0時代のマーケティング戦略』毎日コミュニケーションズ
・国土交通省、経済産業省、文化庁（2005）『映像等コンテンツの制作・活用による地域振興のあり方に関する調査 報告書』
・酒井亨（2016）『アニメが地方を救う！？　―聖地巡礼の経済効果を考える―』ワニブックス
・指出一正（2019）『ぼくらは地方で幸せを見つける』ポプラ社
・佐藤尚之（2018）『ファンベース　――支持され、愛され、長く売れ続けるために』筑摩書房
・鈴木凱仁、坂上友紀、国島未来、桑原史朗、安本宗春（2020）「アニメによる『聖地巡礼』を目的としたファンと地域との関わり　―沼津市を事例として―」『追手門学院大学地域創造学部紀要』第5号、pp.61〜84

・谷村要（2017）「文化（アニメ）による活性化」橋本行史編著『地方創生 ―これから何をなすべきか―』創成社、pp.79 ～ 84

・風呂本武典（2019）「コンテンツツーリズムの課題と克服」地域コンテンツ研究会編著『地域 × アニメ：コンテンツツーリズムからの展開』成山堂書店、pp.230 ～ 241

・山村高淑（2008）「アニメ聖地の成立とその展開に関する研究 ～アニメ作品「らき☆すた」による埼玉県鷲宮町の旅客誘致に関する一考察～」『国際広報メディア・観光学ジャーナル』No.7、北海道大学、pp.145 ～ 164

・米川明彦（2019）『平成の新語・流行語辞典』東京堂出版

［注］

* 1　Fun Japan Communications ウェブサイト「日本のどんなコンテンツが視聴されている？ FUN! JAPAN オンライン調査結果を発表」2019 年 9 月 5 日、https://fj-com.co.jp/articles/blog/funjapanlab/1736/（2020 年 9 月 6 日閲覧）

* 2　米川（2019）p.328

* 3　河野まゆ子（2015）「漫画・アニメを活用した地域活性化の可能性」（JTB 総合研究所ウェブサイト、https://www.tourism.jp/tourism-database/column/2015/05/manga-anime/）

* 4　国土交通省ほか（2005）p.49

* 5　観光庁『訪日外国人消費動向調査』（https://www.mlit.go.jp/kankocho/siryou/toukei/syouhityousa.html、2020 年 10 月 22 日閲覧）を参照。

* 6　佐藤（2018）p.8

* 7　上田（2007）p.60

* 8　たとえば、新曲のシングルでセンターを務めるキャラクターの投票、Aqours メンバーからの新ユニットの名前の公募などがある。Aqours という名前もファンからの公募で決まった。

* 9　たとえば、安田屋旅館、淡島、松月、沼津リバーサイドホテルなどが挙げられる。

* 10　上土商店街の 26 店舗で構成される「おかみさん会」と称する住民組織。

第5部

異文化コミュニケーションと観光人材育成

岩田聖子

第11章

巡礼地の国際地域ネットワーク
──スペイン・サンティアゴと熊野の「共通巡礼」

11-1 | 2つの巡礼道の取り組み

1 世界遺産の道を結ぶ共通巡礼手帳

　和歌山県田辺市本宮町にある熊野本宮大社の鳥居前、熊野本宮観光協会などが入った「世界遺産熊野本宮館」の敷地に、ホタテ貝のシンボルを掲げ、「10,755km」と刻まれたモニュメントが建っている（図11・1）。これは2014年5月、日本スペイン交流400周年と熊野古道──サンティアゴ巡礼の道の姉妹提携を記念して建てられたものである。ユネスコの世界遺産に登録されている2つの巡礼道は1万km以上も隔たっているにもかかわらず、「Dual Pilgrim（2つの道の巡礼者）」という創造的かつ型破りな発想で結ばれ、「共通巡礼手帳」を発行するなどの取り組みの結果、田辺市には年間5万人の外国人が訪れている。本章では、その地域の文化や風土、そこに暮らす人々を、その土地の魅力として海外発信する観光戦略の一環として、国や宗教、言葉の違いを超えて巡礼道を歩く人たちを祝福する取り組みを紹介する。

　サンティアゴの巡礼道は、キリストの12使徒で最初の殉教者・聖ヤコブの遺骨を祀った聖堂が建つサンティアゴ・デ・コンポステーラ市へと続く。この

うちスペイン国内の道が1993年、「サンティアゴ・デ・コンポステーラの巡礼路」として世界遺産に登録された。その後1998年と2005年にルートが追加されたために、登録名称は「サンティアゴ・デ・コンポステーラの巡礼路：カミーノ・フランセスとスペイン北部の巡礼路群」と変更されている。一方、熊野古道は2004年、「紀伊山地の霊場とその参詣道」として世界遺産に登録され、2016年に「境界線の軽微な変更」で登録範囲が拡張されている。

　世界遺産に登録されている数百kmに及ぶ巡礼道はこの2例しかないため、田辺市とサンティアゴ・デ・コンポステーラ市は巡礼文化を世界発信することで合意し、2014年5月、「平和の文化」の創造と、地域の資源を活用した持続可能な観光地を目指す地域振興につながる「観光交流協定」を締結した。2つの巡礼道にはそれぞれ道中でスタンプを押す押印帳や巡礼手帳があったが、2015年、片面には熊野古道、反対面にサンティアゴ巡礼道のスタンプを集めることができる「共通巡礼手帳」を作成。両方の巡礼を達成した人には「Dual

図11・1　世界遺産熊野本宮館に設置されたモニュメント
（筆者撮影）

図11・2　Dual Pilgrim 記念ピンバッジ
（筆者撮影）

Pilgrim」を記念したピンバッジ（図11・2）を贈ることにした。また2016年からは熊野本宮大社発行の「共通巡礼達成証明書」も贈呈し、「共通巡礼WEBサイト」（https://www.tb-kumano.jp/kumano-kodo/dual-pilgrim/）で紹介するなど、取り組みが深まっている。

2　サンティアゴ・デ・コンポステーラ巡礼の歴史的背景

　サンティアゴ・デ・コンポステーラ市はスペイン北西部ガリシア州にあり、人口は9万6400人（2018年）と州内5番目の人口規模になる。「サンティアゴ」は聖ヤコブのスペイン語読みで、「コンポステーラ」は墓標、星の野といった意味など諸説ある。813年、それまで所在がわからなかった聖ヤコブの墓が「発見」され、その後、遺骨を祀った聖堂が建てられた。またこの地は「フィニステール」と呼ばれるヨーロッパ大陸の西の端、辺地にあたるということも聖性を強化することとなった。12世紀には都市間の距離や食文化、言語、旅の危険などを載せた「巡礼案内」も書かれ、年間50万人が聖地に向かったという。

　14世紀から15世紀になると、封建制社会の崩壊に伴って信仰の旅から観光・余暇の旅という側面が注目されるようになり、大人数の移動を伴うマスツーリズムの原形となる。宿屋は居酒屋を兼ねて娯楽、情報交換、商売の場所ともなった。16世紀の宗教改革期以降は巡礼者が減少していったが、1985年に聖堂の建つサンティアゴ・デ・コンポステーラ市の旧市街が世界遺産に登録されたこともあり、1990年代になって再び多くの人が巡礼地に向かうようになった。

　エルサレム、ローマと並ぶ

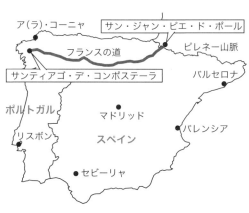

図11・3　フランスの道

（出典：日本カミーノ・デ・サンティアゴ友の会（2010）をもとに筆者作成）

キリスト教３大聖地の１つである同市への巡礼道は多数あるが、現在多くの巡礼者が歩くのはフランス南西部の村、サン・ジャン・ピエ・ド・ポールを出発し、サンティアゴ・デ・コンポステーラ市までの約780kmを30〜40日かけて歩くルートで、「フランスの道（フランス人の道）」（図11・3）と呼ばれている。

　現在では巡礼者は年間30万人を越え（図11・4）、国別ではスペイン国内の巡礼者が全体の半分を占める。以下、ドイツ、イタリア、フランス、ポルトガル、アメリカと続く。日本は25位（0.4％）で、アジアでは韓国が15位（1.4％）に入っている（2019年）。日本の巡礼者は2004年の257人から、2019年には1452人に増えているが、これは2008年に日本カミーノ・デ・サンティアゴ友の会が設立され日本語での案内が提供されたことも大きな要因となっている。キリスト教信者が多い韓国の増加は、映画や出版によるブームもありより顕著で、2004年の18人が、2019年には8224人と急増している。

　出発地の教会や修道院で手に入れた「巡礼手帳（クレデンシャル）」に押すスタンプは、道中の宗教施設以外にも、街道沿いのバルや商店、土産物店にも置いてある。最後に「巡礼証明書（ラ・コンポステーラ）」を入手するには、1

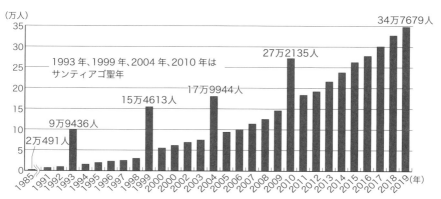

図11・4　サンティアゴ・デ・コンポステーラ巡礼者数の推移

（サンティアゴ・デ・コンポステーラ巡礼事務所の資料〈https://oficinadelperegrino.com/estadisticas/〉および日本カミーノ・デ・サンティアゴ友の会の資料〈https://www.camino-de-santiago.jp/pdf/totaldata.pdf〉をもとに筆者作成）

日に2個以上のスタンプが押されていることと、徒歩か馬の場合は最後の100km以上、自転車の場合は200km以上を踏破することが条件となっている。

　2004年には巡礼者の動機のうち宗教的な巡礼が75％と主流だったが、2019年には45％に減り、スポーツを兼ねた聖地巡礼や文化遺産の見学といった観光目的が55％を占めている。クレデンシャルを持つ巡礼者が泊まる「アルベルゲ」（図11・5）と呼ばれる巡礼宿も、近年は確保が困難になり、広場で寝袋にくるまって夜露をしのぐ人も出るなど、オーバーツーリズムの弊害も見られる。その一方で、サンティアゴ・デ・コンポステーラ市の聖堂のそばにある「パラドール」と呼ばれる公営ホテルは、現在でも先着順で無料の食料提供があり、聖堂の夕刻のミサではクレデンシャルを持つ巡礼者用の席（図11・6）が設けられ、巡礼達成者の名前が司祭によって読み上げられるなどの伝統も残っている。

図11・5　アルベルゲ前で宿泊受付を待つ巡礼者（上）およびアルベルゲ内（下）（筆者撮影）

　巡礼証明書を発行する巡礼事務所（図11・7）（共通巡礼の登録は観光局）では、巡礼の動機を口頭で尋ねられ、「キリスト教精神に則っていること」を基本とし、信仰に対する敬虔な心や慈悲の心を持って巡礼を行ったことが問われる。このように宗教的儀式の意味合いが薄れてきた現代でも、歩くことにより内面が純化されていく「癒しの旅」「生まれ変わりの旅」という意味合いは強く残っており、到着後感極まって涙する巡礼者も見られる（図11・8）。現在、クレデンシャルを発行する教会とサンティアゴ・デ・コンポステーラ市観光局が連携して情報発信し

ているが、市は歴史的観光資源を大切にしながらも雇用を産み出す産業の側面も重要視しており、中世以来の外貨獲得の手段としての「宗教的観光」の戦略がある。

3　熊野古道巡礼の歴史的背景

　和歌山、奈良、三重の３県にある３つの霊場「吉野・大峯」「高野山」「熊野三山」は、険しい山々が幾重にも織りなす紀伊山地の豊かな自然を背景に、互いに影響を及ぼしながら発展してきた。2004年７月に「紀伊山地の霊場とその参詣道」が世界遺産に登録された時は、霊場とともに「吉野・大峯」と「熊野三山」を南北に結ぶ「大峯奥駈道」と、熊野参詣道の総称である「熊野古道」、そして高野山を参詣するために開かれた「高野山町石道」が構成資産だった（図11・9）。2016年に熊野参詣道と高野山参詣道の登録範囲が拡張され、全体で347.7kmとなっている。

図11・6　教会内の巡礼者用の席（筆者撮影）

図11・8　到着直後の巡礼者（筆者撮影）

図11・7　巡礼事務所の前（筆者撮影）

図11・9　紀伊山地の霊場と参詣道
(田辺市熊野ツーリズムビューローウェブサイトなどをもとに筆者作成)

　熊野参詣道（熊野古道）のうち、田辺市から山中に入る険しい「中辺路」は、苦しみが多いほど御利益も大きいと、平安から室町時代に至るまで多くの人が利用し、「蟻の熊野詣」と言われたメインルートとなった。中辺路を経てたどり着く熊野本宮大社は、熊野の深い山と広範な川に囲まれ、神仏が宿る霊域として早くから知られていた。奈良時代には観音菩薩の浄土「補陀洛山」に見立てて浄土に最も近い場とされ、平家物語では「日本第一領（霊）験、熊野三所権現」と語られてきた。神道の自然崇拝と仏教の浄土思想が一体化した山岳信仰の地である。参詣道の呼称である「辺路」は、サンティアゴ巡礼道の「フィニステール（最果ての地）」とも重なり、聖性をさらに高めるものとなっている。

　907年の宇多天皇、991年の花山上皇、1090年の白河上皇の御幸以降、熊野信仰は庶民にも広がり、本宮町の湯の峰温泉は楊貴妃が沐浴したといわれる「驪山の温泉」にたとえられた。中でも小栗判官と照手姫の物語で小栗判官が蘇生した「つぼ湯」（図11・10）は、たいそうな人気となって多くの人が集まった。江戸時代には伊勢に参詣した帰りに、それまでの熊野参拝と逆順で本宮

大社へ訪れる人もいた。明治の神仏習合で熊野古道周辺の神社は激減して熊野詣の風習もなくなり、1990年には梅原猛が「もうここを旅する人はほとんどいない」[1]と述べる状況だったが、世界遺産の登録後は外国人を含めた人々がまたこの参詣道を歩き始め、まさに「蘇りの地」にふさわしい状況になっている。

図11・10　世界遺産「つぼ湯」（筆者撮影）

4　熊野古道巡礼・中辺路ルートの外国人観光客増加

　2005年5月、田辺市、日高郡龍神村、西牟婁郡中辺路町、大塔村、東牟婁郡本宮町が合併して現在の田辺市が発足した結果、熊野古道の中で人気のある中辺路ルートのほとんどが、田辺市に含まれることとなった。面積は近畿地方の市では最大で、その89％を森林が占め、人口は7万2200人（2020年8月末）である。田辺市の玄関口、JR紀伊田辺駅は新大阪駅から特急で約2時間。路線バスに乗り換えると約45分で、中辺路ルートの出発点である滝尻王子に到着する。熊野本宮大社までは39kmで、巡礼者は途中の王子[2]跡に置かれたスタンプを押しながら、険しい上り坂や下り坂が続く狭い山道をたどっていく。

　国土交通省を中心に、訪日外国人旅行者に向けた様々な観光促進活動「ビジット・ジャパン・キャンペーン」が始まった2003年、田辺市（旧4町村を含む）に宿泊した外国人は、わずか819人。熊野古道が世界遺産に登録された2004年でも1409人だったが、2019年には5万926人まで増加した（図11・11）。宿泊者全体に占める外国人の割合も、2004年は0.3％だったが、2019年は11％まで増えている。日本の多くの観光地と比べると、欧米や豪州からの来訪者が多いことが特徴で、全体の半数以上を占めている（図11・12）。2014年の

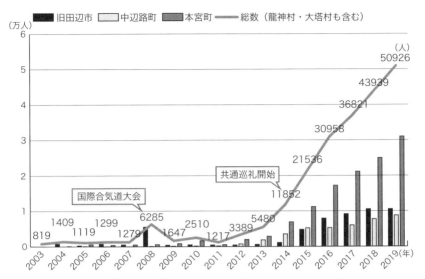

図 11・11　田辺市の外国人宿泊者数の変化（田辺市提供資料をもとに筆者作成）

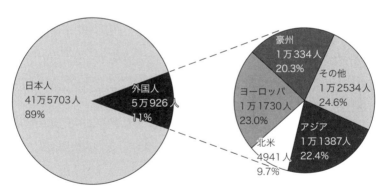

図 11・12　田辺市における外国人宿泊者の国籍内訳（2019 年）
（田辺市提供資料をもとに筆者作成）

田辺市とサンティアゴ・デ・コンポステーラ市との観光交流協定締結と、それに続く「共通巡礼手帳」の取り組みが外国人宿泊者増加の原動力となっている。それと同時に、交通手段などの英語情報提供を積極的に行い、英語表記の統一や、観光従事者の英語対応能力を磨くなど、「田辺市熊野ツーリズムビューロー」が中心となって受け入れ体制の整備を行ってきたことが、欧米豪からの訪問客増加に結びついている（図11・13）。

　世界的なガイドブック「lonely planet」2018 年版では、和歌山県を含む紀伊半島が「世界の訪れるべき地域トップ10」の第 5 位となったが、田辺市のことを次のように紹介していることからも、その成果がうかがえる[3]。

> Tanabe, a small city on the west coast of Wakayama, is the main gateway to the Kumano Kodo. The government of this friendly town has made huge efforts to welcome foreign tourists with lots of info in English and English-speaking staff members at the tourist office.
>
> 和歌山県西海岸沿いにある田辺市は、熊野古道の主要な玄関口にあたります。友好的な田辺市は、多くの英語での情報発信や観光案内所常駐の英語対応スタッフなど、外国人観光客の受け入れに意欲的に取り組んでいます。　（邦訳は筆者による）

　現在では、英語だけでなく、フランス語、スペイン語、中国語、韓国語でも情報提供するなど、多言語化が進んでいる。

図 11・13　外国人の姿が多く見られる熊野古道方面バス内と熊野本宮大社前バス停
（筆者撮影、2018 年）

11-2 | 田辺市の「共通巡礼」の取り組み

1 田辺市の観光戦略と課題

　「紀伊山地の霊場とその参詣道」が、世界遺産登録基準の「顕著な普遍的価値を有する出来事（行事）、生きた伝統、思想、信仰、芸術的作品、あるいは文学的作品と直接または実質的関連がある」として登録申請され、2004年に登録された直後には、多くの日本人旅行者がやってきたが、1日に100台もの観光バスが集中し、短い滞在時間で次の観光地へ移動するマスツーリズムの対象であった。そのため、観光客は「ただの山道でしかない」という印象を持つこともあったという。また服装や足元が不十分なまま訪れる観光客が多く、道が荒らされたり、古道沿いの植物が採集されたりするといった地元にとっては苦い経験もあったため、目的意識を持って旅をする人に「熊野」を伝えたいという意識が強まった。そこで、2005年の市町村合併を受けて、新・田辺市における官民協働の先駆け事業として、旧市町村の観光協会・行政局と、田辺市観光振興課が連携・協力する形で2006年に「田辺市熊野ツーリズムビューロー」が設立された。2010年には、一般社団法人として法人化され、地域の特色を活かした着地型旅行業（DMC）を行うことになった。1. ブームよりルーツ、2. 乱開発より保全保存、3. マスより個人、4. インパクトを求めずローインパクト、5. 世界に開かれた上質な観光地、の5項目を基本とした観光戦略を打ち立て、観光地化されていない風景や精神的な文化、地域の人とのふれあいを大切に、「世界に開かれた質の高い持続可能な観光地」（High Quality, Sustainable Tourism Destination）を目指し、欧米豪からの訪日客による個人旅行（FIT ＝ Foreign Independent Travel/ Free Individual Travel）をターゲットにし、「世界遺産・熊野」を世界に向けて発信していくことになった。

　田辺市も、基本理念「一人一人が幸せを実感できるまちづくり」「世界遺産等を活かしたまちづくり」をもとに、住民が住んで良いと思う町、訪れる人にとってさらに魅力ある町を目指している。また、人口減少が地域に与える影響

も深刻であり、観光分野において市が全面的に後押しをする形で、国外に向けた観光資源の情報発信の充実と観光客の受け入れを強化してきた。こういった中で、歴史的観光地の多い田辺市は観光地域づくりを加速することになった。

2　民間レベルの共同プロモーションから行政間の観光交流協定締結へ

　もともと1998年に、和歌山県とスペイン国ガリシア州は「姉妹道提携協定書」を締結していた。その後、サンティアゴ・デ・コンポステーラ市の積極的なアプローチもあり、民間レベルとして2008年10月に、田辺市熊野ツーリズムビューローとサンティアゴ・デ・コンポステーラ市観光局が共同プロモーションに関する協定を締結した。当初、サンティアゴ・デ・コンポステーラ市観光局は伊勢神宮のある三重県伊勢市と共同プロモーションに関する協定を結ぶ計画を立てていた。しかし、日本を訪れた際に、観光バスの団体客が短い滞在時間で参拝し次の観光地へ移動する伊勢神宮への参拝状況を見て、熊野本宮大社を目指す熊野の参詣道を持つ田辺市へ共同プロモーションの提案をすることになった。以降、共同プロモーションの活動として、旅行博でのイベントやウェブサイト、パンフレットにおいて、世界遺産の2つの道を互いに発信してきた。

　その後、2012年にサンティアゴ・デ・コンポステーラ市長からの「観光交流協定」提案の親書に、田辺市長が観光交流協定を結ぶ方向で調整を図る旨の返書を送った。2013年には、田辺市にてサンティアゴ・デ・コンポステーラ市長と、観光交流協定の締結にあたって「持続可能な観光地づくり」「巡礼文化の世界発信」を大きなビジョンに掲げることで合意に至り、2014年5月にサンティアゴ・デ・コンポステーラ市において同協定の調印が行われた。そして同年7月には、田辺市にて同協定に関わる覚書を締結し、市同士が手を結び互いの巡礼地をプロモーションしていくことになった。その際には、田辺市民のみならず、高野山、奈良県、新宮市などの関係者も交流協定締結の儀式に参加した。またスペインでのイベントには、和歌山県から県文化交流団や、周辺の市の団体も渡西して参加した。和歌山県の広報誌には、サンティアゴ・デ・コンポステーラ大聖堂に奉納された熊野本宮大社の神官による男舞（図11・

14) の様子とともに次のように掲載されている*4。

> 5月11日から17日、日本・スペイン交流400周年および世界遺産登録10周年を記念して、「和歌山県文化交流団」がスペインを訪問。13日にはガリシア州のサンティアゴ・デ・コンポステーラ大聖堂で和歌山県の伝統文化・精神文化を紹介する「和歌山文化プロモーション」が開催された。大聖堂内では熊野本宮大社の男舞などが披露され、300人を越える市民やマスメディアから大きな拍手が起こった。

　キリスト教の大聖堂内で宗教の異なる熊野本宮大社の神事の舞や山伏たちによるほら貝のパフォーマンスがなされたことは、宗派を超えてすべてを受け入れるというサンティアゴ教会の思いと熊野権現の思いがつながったシンクレティズム（習合現象）の証とも言えよう。

図11・14　熊野本宮大社の神官による男舞
（写真提供：熊野本宮大社内とりいの店 店主・鳥居泰治氏）

　この両参詣道とその聖地には、共通巡礼手帳の取り組みにいたったのも自然の流れとも言えるような共通事項がある。たとえば以下のことが挙げられる。

1. ともに古くから続く、歴史的巡礼道を持つ地
2. 世界遺産に登録された2例のみの参詣道
3. 貴賤を問わず、誰をも受け入れる地
4. 巡礼道が集結する地
5. 古の巡礼者が、伏して拝んだ地を持つ

　どちらも山道を越える難行苦行があり、両聖地とも男女、貴賤を

問わず受け入れてきた経緯がある。また熊野古道が集結する熊野本宮大社も、サンティアゴ巡礼道が集結するサンティアゴ大聖堂も、どちらも巡礼道が集結する聖なる場所であり、熊野古道には熊野本宮大社の 3km 手前にある「伏拝<ruby>伏拝<rt>ふしおがみ</rt></ruby>」王子（図 11・15）、サンティアゴ巡礼道には大聖堂の 5km 手前にある「モンテ・ド・ゴソ（歓喜の丘）」（図 11・16）とそれぞれの聖地を初めて拝む場所がある、などの共通点がある。

3　共通巡礼の提案

　「共通巡礼手帳」はこうした両市の巡礼道の「保全と活用」を目指してなされた協定の記念事業として発案された。それまでの民間レベルの共同プロモーションから、市も参画して行う新たなプロモーションとしてなにか目玉になるものが必要だったという背景もあった。

　日本とスペインの関係はまず、1613 年に伊達政宗が支倉常長の使節団をスペインに送ったことから始まる。その 400 年後の 2013 年に日本とスペイン両国で「日本スペイン交流 400 周年事業」が開催された。前年の 2012 年には和歌山県がガリシア州との友好親善関係と連携強化に関わる覚書の締結を行った。こうして日本とスペイン、和歌山県とガリシア州、田辺市とサンティアゴ・デ・コンポステーラ市といった遠く離れた地点が結ばれていく中、当時、田辺市熊野ツーリズムビューローの国際観光推進員だったブラッド・トウル氏が「巡礼

図 11・15　伏拝王子からの眺め
（写真提供：本宮行政局・山下義朗氏）

図 11・16　モンテ・ド・ゴソ （筆者撮影）

者同士もつなげたい」という思いを持ち、「共通巡礼手帳」の取り組みが発案された。

彼は、"I'm dual pilgrim. Are you dual pilgrim?（私は共通巡礼者ですが、あなたも？）" という共通巡礼者の誇りを特別のものとしてお祝いしたいという思いもあったという。本宮町にカナダから ALT としてやってきたブラッド氏は、田辺市の国際観光戦略のキーパーソンとして、同ビューローでプロモーション事業の責務を担っている。持続可能で質の高い観光地「田辺市」をつくるために、目的意識を持って旅をする人たちに「熊野」を伝えたい、そのためには個人旅行を好みトレッキングなどの余暇文化が定着している欧米豪の FIT を呼び込みたい、ならば外国人を呼び込むには外国人の感性が必要だ、ということで同ビューローではブラッド氏の視点を参考に、田辺市の魅力を発信し、熊野古道のサインポートやガイドブックの監修、多言語パンフレットなど様々な課題解決に向けて取り組んできた。

1 万 km 離れた道同士の「共通巡礼手帳」は、ブラッド氏の人と人を結びつけていきたいという強い思いの表れでもあった。共通巡礼などどのくらいの人が達成できるのだろうかと懐疑的であったものの、ビューロー関係者が彼の提案をロマンとして捉え、夢を描き、観光交流を推進してきた田辺市との両輪がうまく回ってきた実例と言えよう。

4　共通巡礼達成の条件

2015 年 2 月 1 日に共通巡礼の取り組みを開始した当初、達成者にはサンティアゴ巡礼のシンボルであるホタテ貝と、熊野本宮大社の八咫烏をデザインした記念ピンバッジの贈呈をしていた。さらに達成者から、サンティアゴの道の巡礼達成証明書のようなものを熊野古道でも発行してほしいという要望を受け、取り組み 1 周年を記念した 2016 年 2 月 1 日より、記念ピンバッジとともに熊野本宮大社発行の巡礼達成証明書が贈呈されることになった。さらに達成者は「共通巡礼 WEB サイト」でも紹介され、熊野本宮大社でのセレモニーとして「共通巡礼達成大太鼓の儀」（図 11・17）が執り行われる。これは、普段参拝者が

叩くことのできない熊野本宮大社拝殿横に備えられている大太鼓を共通巡礼達成者が叩き、巡礼の終わりを告げるとともに熊野の神々や聖ヤコブに想いを伝え、納める儀式となっている。

　この共通巡礼手帳（図11・18）は、サンティアゴ大聖堂巡礼事務所にも公式に認められたものであり、手帳には「OFFICIAL CREDENTIAL」「共通巡礼手帳」と印字されている。この手帳は、田辺市観光振興課、田辺市観光センター、熊野古道館、世界遺産熊野本宮館、わかやま紀州館、その他協力施設（田辺市内の宿泊施設等）、サンティアゴ市観光局に置かれている。共通巡礼達成の条件は以下のとおりである。

・**サンティアゴ・デ・コンポステーラの巡礼道**（以下のいずれかを達成）
　徒歩または馬で少なくとも最後の100km以上を巡礼する
　自転車で少なくとも最後の200km以上を巡礼する
・**熊野古道**（以下のいずれかを達成）
　徒歩で滝尻王子から熊野大社（38km）までを巡礼する
　徒歩で熊野那智大社から熊野本宮大社（30km）間を巡礼する
　徒歩で高野山から熊野本宮大社（65km）まで巡礼する
　徒歩で発心門王子から熊野本宮大社（7km）まで巡礼するとともに、熊野速

図11・17　共通巡礼達成大太鼓の儀　　図11・18　共通巡礼手帳

（いずれも出典：田辺市熊野ツーリズムビューローウェブサイト「二つの道の巡礼者」https://www.tb-kumano.jp/kumano-kodo/dual-pilgrim/）

玉大社と熊野那智大社に参詣する

これらの中で熊野古道の最後の条件「発心門王子から熊野本宮大社（7km）まで巡礼するとともに、熊野速玉大社と熊野那智大社に参詣する」だけが非常に楽な行程であるように思われる。しかしながら、ここに共通巡礼の仕組みのすべてが凝縮されている。ブラッド氏によれば、目的はとりあえず熊野に来てもらうということであり、この手軽な条件が、熊野古道だけでなくサンティアゴの道への「positive marketing promotion」としての設定になっているのだという。観光プロモーションとしての共通巡礼手帳の位置づけがここにある。

2015年に共通巡礼の取り組みを開始した当初の「年に数人あるかないか」という予想に反して、達成者は毎年順調にその数を伸ばしており（図11・19）、2020年5月末現在で3379名が登録された。内訳は日本人が825名（図11・20）で最も多く、前述したサンティアゴの道の日本人達成者数を見ると、今後も伸びていくものと思われる。欧米豪の割合が60%を占めることに関しては、田辺市熊野ツーリズムビューローがFITの顧客をベースにプロモーションしてきた結果と言える。近年、アジアも共通巡礼者数を伸ばしており、今後のポテンシャルを感じる地域になると思われる。宿泊業者から最近はビーガンだけでなくハラール食の対応も考えているという声を聞く。

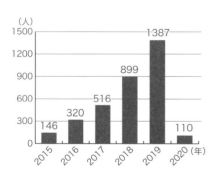

図11・19　年ごとの共通巡礼達成者数
（2020年5月末時点）
（田辺市資料をもとに筆者作成）

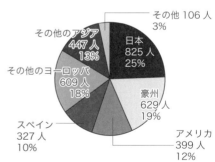

図11・20　共通巡礼達成者の国籍
（2020年5月末時点）
（田辺市資料をもとに筆者作成）

11-3 | 共通巡礼の課題と今後の展開

　共通巡礼のプロモーションが浸透するにつれ、現在、課題となっているのが、巡礼者を「結んだ」結果による、サンティアゴ巡礼の経験と熊野古道の経験のギャップによる異文化の摩擦である。サンティアゴの巡礼道にある、水飲み場、安価な宿（アルベルゲ）、多数点在する休憩所がわりのバル、これらは熊野古道にはない。熊野古道は修験道であったため、木の根っこや石が敷かれた山道（図11·21、11·22）や、すれ違いができないような片側が崖の狭い山道を歩く。また何度も峠を越えるため高低差も短い距離の中に多々ある。途中の宿も少なくシーズンになると多くの外国人宿泊客がやってきて予約が取れない。また、最後の20kmに至っては、つづら折りの急な上り坂と下り坂が続く上に自販機も設置されていない中を歩くことになる。宿泊施設においては、外国人客が靴のまま部屋に上がり、畳の上を大きな荷物を引きずっていくなどの問題が解消されていない。そこで、田辺市熊野ツーリズムビューローは現在、外国人宿泊者に、文化の違いや巡礼道の違い、日本の修験道の良さを理解してもらうため、以下のような

図11·21　滝尻王子からの熊野古道（筆者撮影）

図11·22　熊野古道の石畳（筆者撮影）

「Lodging Overview」（宿泊に関するお知らせ）を配布している。

KUMANO KODO Lodging Overview

IMPORTANT CULTURAL NOTE:

The Kumano Kodo is very different from the Way of St. James in Spain and the Shikoku 88 temple pilgrimage route in many ways. Specifically, the style of accommodations. In the Kumano Kodo area there are no temples or albergues hostels along the way, but rather family-inn minshuku guesthouses and ryokans/hotels in the hot spring area.

We ask you to please understand and respect the historical, cultural and infrastructural differences between these pilgrimage route.

重要な文化的な違いに関する告知

熊野古道は、多くの点でスペインのカミーノ・デ・サンティアゴや四国八十八か所と異なります。特に宿泊の点で大きく異なり、熊野古道の道中にございますのは、お寺やアルベルゲといった宿泊所ではなく、民宿や温泉地の旅館・ホテルです。

皆様にはこれらの巡礼地における歴史的、文化的そして施設等の違いをご理解いただけますようお願い申し上げます。

（『熊野古道　宿泊に関するお知らせ』より抜粋。邦訳は筆者による）

訪れる外国人観光客を教育するという新たな観点で、文化の違いを受け入れる外国人観光客を育て、新たなホストとゲストの関係（岡本、2015）を再構築し、観光地のより強固な国際地域ネットワークのモデルをつくろうとしている。

現在、田辺市では、2017 年から 2026 年までの 10 年間を「世界遺産等を活かした魅力あるまちづくり基本計画」の期間と定め、これからの交流人口の増加と地域の活性化を目指して様々な取り組みをしている。そこで続く 12 章では、田辺市の人口減少・高齢化の課題解決に向けた交流人口獲得のための海外発信と人材育成の観点から述べていくことにする。

謝辞：本研究の調査にあたり、ご協力いただいた田辺市役所、田辺市熊野ツーリズムビューローおよび関係者の皆様には心より感謝申し上げます。

＊なお、本研究は科研費 18K00806 の助成を受けた一部である。

［参考文献］

・五十嵐敬喜、岩槻邦男、西村幸夫、松浦晃一郎（2016）『神々が宿る聖地　世界遺産熊野古道と紀伊山地の霊場』ブックエンド
・岡本亮輔（2015）『聖地巡礼　世界遺産からアニメの舞台まで』中央公論新社
・関哲行（2006）『スペイン巡礼史』講談社
・関哲行（2019）『前近代スペインのサンティアゴ巡礼』流通経済大学出版会
・田辺市（2017）『世界遺産等を活かした魅力あるまちづくり基本計画』
・田辺市熊野ツーリズムビューロー ウェブサイト（https://www.tb-kumano.jp/）
・西口勇（1998a）『くまの九十九王子をゆく　第一部　紀路編』燃焼社
・西口勇（1998b）『くまの九十九王子をゆく　第二部　中辺路・大辺路・小辺路編』燃焼社
・日本カミーノ・デ・サンティアゴ友の会（2010）『聖地サンティアゴ巡礼　世界遺産を歩く旅』ダイヤモンド社
・'BEST IN TRAVEL Kii Peninsula', *Lonely Planet Japan*, 2018, p.78
・TU DESCANSO EN EL CAMINO ウェブサイト（https://www.alberguesdelcamino.com/ja/）

［注］

＊1　梅原猛（1990）『日本の原郷　熊野（とんぼの本）』新潮社
＊2　王子とは、参詣途中に儀式を行うための場所としての祠や神社で、京都から熊野三山に至るまでの難行の途中に設けられ、熊野権現の御子神を祀る分社で、和歌会や神楽などを行ったとされる。熊野九十九王子が有名であるが、実際に 99 あったのではなく数が多く存在したことをいう。詳しくは、西口（1998a、b）を参照。
＊3　*Lonely Planet Japan*, 2017, pp.415-416
＊4　「nagomi 新聞」『和歌山県総合情報誌「和 -nagomi-」』2014 年 7 月 7 日付、和歌山県広報課

第12章

人口減少・高齢化が進む観光地の海外発信と人材育成
―― 和歌山県田辺市

12–1 │ 世界遺産等を活かした魅力あるまちづくりを目指す田辺市

　日本における観光立国の理念は、"住んでよし、訪れてよしの国づくり"を実現することであり、日本に住むすべての人々が、自らの地域社会や都市を愛し、誇りを持ち、楽しく幸せに暮らしているならば、おのずと誰しもがその地を訪れたくなるものである[1]。それは、地域の自然資源や文化資源を地域住民が理解し、その活用を考え、訪れる人々にその魅力を伝えていく活動を通して自らも豊かになる「持続可能な地域社会と観光のあり方」を目指したものでもあると言える。そのために、多くの市町村で、地方における「しごと」と「ひと」との好循環づくり[2]が望まれている。この章では、地方での雇用創出、関係人口や交流人口の拡大、安心して過ごせる環境の整備を目指した施策を行っている地域の1つとして、「世界遺産等を活かした魅力あるまちづくり」を基本計画とし、交流人口である訪日外国人客への積極的な海外発信と、それに伴う受け入れ態勢の拡充と人材育成など、地域住民と連携した着地型観光によるまちづくりを実施している和歌山県田辺市を取り上げる。

1 田辺市の概要

　2005年に、旧田辺市、大塔村、龍神村、中辺路町、本宮町が合併し、紀伊半島の南西側、和歌山県南部に位置する近畿最大の行政区域となる新「田辺市」が誕生した（図12・1）。隣接するのは、梅干しの生産量日本一のみなべ町、熊野速玉大社を有する新宮市、温泉とパンダで知られる白浜町、紀州備長炭の生産日本一の日高川町、熊野古道小辺路ルートや大峯奥駈道が縦断する奈良県十津川村など10市町村。

図12・1　田辺市の位置

西側は太平洋に面し、東は紀伊山地の森林が大半を占める山間部に4水系を抱える広大な圏域である。面積1026.91km^{2}のうち、88.4％を森林が占め、3.5％が農地である。また、就業人口3万5365人のうち、第3次産業が67.5％を占めている[3]。和歌山第2の人口を有する市であり、太平洋の黒潮の恵みを受けた多くの水産資源、南高梅をはじめとする梅や紀州みかんなど温暖な気候の中で育つ農産物、紀伊山地の良質なスギやヒノキなど様々な天然資源に恵まれ、また2000年以上の歴史を持つ熊野本宮大社や武蔵坊弁慶で知られる闘鶏神社、日本最古の湯ともいわれる湯の峰温泉、熊野参詣道などの観光資源を持つ。2004年には「紀伊山地の霊場と参詣道」が世界遺産に、2015年には「みなべ・田辺の梅システム」が世界農業遺産に認定され、魅力的な地域資源を活用したまちづくりに取り組んでいる。

2 田辺市の人口推移

　和歌山県内では、1989年3月に1万8014人いた中学卒業生が、2019年3月には約半数の8607人となった。さらに2034年には5974人まで減少する

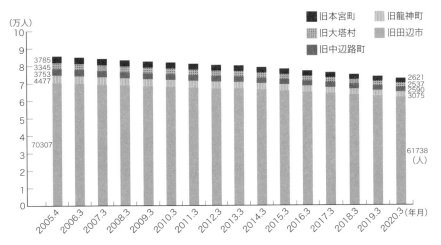

図12・2 田辺市の人口推移（田辺市統計資料をもとに筆者作成）

と推測されている。このため、「きのくに教育審議会」が、田辺市とその周辺地域の高校の再編について答申をしている*4。国内の他の地域と同様に田辺市も人口減少の課題を抱えており、2005年の市町村合併時の8万5667人が、2020年3月末には7万2561人となり、15％の人口減少となった。その内訳は、旧田辺市で12％、旧龍神町で31％、旧中辺路町で31％、旧大塔村で24％、旧本宮町で31％、それぞれ減少している（図12・2）。また、日本創成会議資料（2014）によると、若年女性人口が減少し続ける限り、人口の再生産力は低下し総人口の減少に歯止めがかからない。「20〜39歳女性（若年女性）人口が再生産力を示す指標」から予測される田辺市の将来人口は、2040年には、42.3％（人口移動が収束しなければ53.4％）減少すると推計されている。

田辺市の人口ビジョンでも、2060年に、4万122人にまで人口が減少すると推計されている。このため、減少を穏やかにし、目標人口5万4382人（図12・3）を実現するために対策を講じている。それが、人口急減・超高齢化の課題に対し、政府が2014年に打ち出した「まち・ひと・しごと創生長期ビジョン」*5の具体的な施策としての「しごと」「ひと」の好循環につながる、若い世代の雇用創出と、人材育成などの施策である。以下、世界に向けて発信す

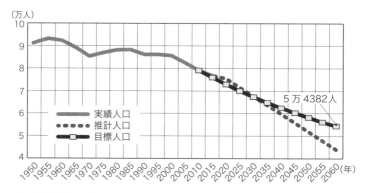

（万人）

図12・3　田辺市人口ビジョン （出典：田辺市、2020）

る「田辺市熊野ツーリズムビューロー」の取り組みと、外国人受け入れ態勢の強化、地域の人材育成、高齢化が進む地区での現状とその対策について述べていく。

12-2 ｜ 世界発信をする田辺市

1　田辺市熊野ツーリズムビューロー

　田辺市では、国内外への情報発信や着地型の商品開発、観光人材の育成の中核を担っている田辺市熊野ツーリズムビューローと、観光まちづくりのための政策の企画・立案や受け入れ態勢の充実、インフラ整備などを担っている行政が、協働で観光戦略を展開している。ここでは同ビューローの活動について述べる。

The Tanabe City Kumano Tourism Bureau, one of the most progressive tourism outfits in all Japan, has detailed information and maps of the routes and an English-language accommodation booking site on its homepage, making trip-planning a snap.

> 全国でも有数の田辺市熊野ツーリズムビューローは、そのホームページに詳細な情報に合わせて古道歩きの地図、英語の宿泊サイトも載せているため、旅の計画を簡単につくれます。(邦訳は筆者による)

　これは、英語による旅行ガイドブック、「lonely planet」に掲載されている同ビューローの紹介である[*6]。2018年の「訪れるべき地域トップ10」の中でも、「lonely planet」は紀伊半島を5位に選んでいる。そこには「主な日本の観光地である大阪や京都の南、太平洋に面した紀伊半島は、日本で最も称賛されるべき素晴らしい魅力がいっぱい詰まっている。神社仏閣、荘厳な景色に湯けむりの温泉、滝、伝統的な文化もありながら現代の利便性もある。こんな大都市の近くなのに混んでいない。まさにねらい目だってことだ。」(邦訳は筆者による)と書かれている。年間5万人の海外観光客がこの町を訪れるようになったのは、外国人の目線から熊野の魅力発信や受け入れ態勢の整備に取り組んできたカナダ人のブラッド・トウル氏の功績が大きい。この地が「lonely planet」に掲載されたのも彼の力が多分にあったからだと言われている。

　田辺市熊野ツーリズムビューローは、2004年の「紀伊山地の霊場とその参詣道」の世界遺産登録や、2005年の市町村合併による新「田辺市」の誕生を受け、2006年4月、旧市町村にあった観光協会で構成する官民協働の新組織として設立された。田辺市観光振興課が職員派遣を行い、プロモーション事業を委託している(図12・4)。

図12・4　田辺市熊野ツーリズムビューローの官民協働の体制
(田辺市熊野ツーリズムビューロー資料をもとに筆者作成)

ビューローの観光戦略の視点は、第11章でも述べているように、1. ブームよりルーツ、2. 乱開発より保全保存、3. マスより個人、4. インパクトを求めずローインパクト、5. 世界に開かれた上質な観光地、の5項目を基本とした質の高い観光地を目指すことであった。ゆっくり流れる時間の中で熊野の魅力を見つけてほしいという思いから、目的意識を持って旅する人たち、特に欧米豪のFITをターゲットにした観光戦略に取り組んだ。ブラッド氏から見た魅力ある熊野の観光資源は、①緑豊かな鎮守の森と大鳥居（大斎原）、②

図12・5　熊野古道マップとガイドブック
（筆者撮影）

熊野川と川の参詣道、③緑濃い深い山々、④熊野古道歩き、⑤伝統的な宿と和食、⑥音無茶、⑦歴史ある温泉、そして⑧地元の温かい人々だった。これが外国人の目から見た熊野の魅力であり、豊かな自然と共生する持続可能な観光地として、その魅力を海外にアピールしていった。その他に、6言語によるホームページ、熊野の情報が詰まったオフィシャルブックの作成（英語）（図12・5）、宿泊業従事者へのワークショップの開催にもブラッド氏を中心にビューローが関わった。

　たとえば、外国人にとっては、「桔梗」「りんどう」といった部屋の名前がわからない、お風呂で使うシャンプーやリンスの日本語がわからない、宿の案内の仕方がわからない、靴を脱ぐ場所とタイミングや温泉の入り方がわからない。宿泊業者も外国人観光客もお互いに「わからない」ことがある。これを女将の会のメンバーと協議をしながら、草の根的に各宿に合わせてカスタマイズし、宿の受け入れ態勢を整えていった。英会話のレッスンを行うのではなく、たと

	以前の英語表記	統一表記
熊野本宮大社	Kumano Great Shrine Hongu Shrine Hongu grand shrine Hongu Taishashrine Kumano great Taisha	Kumano Hongu Taisha
熊野古道	Kumano Ancient Road Old Road of Kumano Kumano Trail Historic Trail to Kumano Kumano Sankeimichi Kumanokodou Kumano piligrimate route Kumano Kodoh Kumano Kaido	Kumano Kodo

えば館内に貼る英語の案内シールを作成したり、宿に来た外国人宿泊客が困らないような指差しツールをつくったりと、これまで外国人客と接したことがない宿泊業従事者の不安を解消するようなワークショップを重ねていった。それでも外国人観光客がトラブルに巻き込まれる場合もある。そのような事態に備えて、ビューローのスタッフは、交代で24時間、携帯を持って待機している。それが、宿泊業者も安心して外国人受け入れができることにつながっている。

　このようにして、交通関係者、観光案内所、観光協会スタッフ、市役所観光課関係、熊野本宮大社の神職や巫女に至るまで、ワークショップは異文化理解も含めて60回に及んだという。また、2008年に和歌山県下で初めての景観行政団体となり独自の景観施策を志向している伊都郡高野町にも見られるように（竹田・工藤、2016）、ビューローでも、熊野古道の看板の英語表記の統一（表12・1）、周辺のバス停表記（奈良交通・龍神バス・明光バス）の統一を行った。その後、2008年には、サンティアゴ・デ・コンポステーラ市観光局と共同プロモーション協定を締結し、さらに2014年に田辺市とサンティアゴ・デ・コンポステーラ市において締結された観光交流協定を契機に「共通巡礼手帳」を発行したことで、「Dual Pilgrim（2つの道の巡礼者）」を目指して多くの外国人がやってきた。

図 12・6　田辺市熊野ツーリズムビューローの入る建物
（JR 紀伊田辺駅に隣接する田辺市観光センター内 2F）
(写真提供：田辺市)

　2017 年には、受け入れ態勢の強化として、英語対応が可能なスタッフが常
駐し、旅館や民宿の女将の手を煩わせないよう、前もって食事のアレルギーや
要望を外国人客から聞き取って宿に連絡し、カード決済も行うトラベルサポー
トセンター「熊野トラベル」を開業した。ブラッド氏は「世界遺産になったか
ら外国人観光客が来たのではなく、地元の受け入れ態勢が整ったからやって来
たのだ。そうでなければ来ない」と言う。持続可能な観光地のあり方として、
受け入れに関するすべてのシステムを整えることが外国人観光客の誘客となる
だろう。田辺市熊野ツーリズムビューロー（図 12・6）の外国人受け入れに取
り組む体制づくりは、先進的な地域観光のあり方として 2018 年には第 10 回
観光庁長官表彰を受賞、2019 年には第 5 回ジャパン・ツーリズム・アワード「観
光庁長官賞」「DMO 推進特別賞」を受賞するに至った。

2　外国人観光客おもてなし力向上事業

　田辺市への訪日外国人観光客の増加に伴い、宿泊業者だけでなく、飲食・小
売業者も外国人観光客との接客の不安を解消する必要が出てきた。そこで田辺
市観光振興課では、2016 年より「外国人観光客おもてなし力向上事業」を実
施し、翌年からは和歌山県通訳ガイド「高野・熊野特区通訳案内士」の資格を
持つ外国人アドバイザーを講師として招き、外国人観光客の受け入れがスムー

ズに行くようコンサルティングを依頼している。この事業では、毎年春に20業者の応募を受けつけており、これまで78事業者（飲食43、宿泊16、小売り10、その他9件：田辺市街地55、龍神5、大塔2、中辺路9、本宮7件）の支援を行ってきた。申し込みのあった各事業者を1軒ずつ訪問し、それぞれの要望にそった形で、たとえば飲食店であれば外国人向けのメニューや集客用の看板をつくり、小売りであれば商品へのアピールなどを英語で考えるといった支援を行っている。JR紀伊田辺駅で電車を降りた外国人観光客のほとんどは、市街地の周遊をすることなくそのまま本宮方面行のバスに乗り込む。田辺市の願いは、世界遺産である闘雞神社を軸として、南方熊楠邸や顕彰館、2020年10月に開館した植芝盛平記念館や生家跡・墓所（高山寺）といった田辺市街地の観光資源への訪問者を増やすことだ。外国人観光客に市街地のまち歩きを促し、さらには龍神温泉、大塔村にも足を延ばしてもらい、滞在時間を増やすことによる経済への波及効果を期待している。

　そのほかにも観光振興課は、田辺市熊野ツーリズムビューローとともに、様々なプロモーション活動を展開している。2015年には、米オレゴン州ポートランドで開かれたAmerican Trails（インターナショナル・トレイルズシンポジウム）にて来場者に対し、熊野古道を中心とした観光プロモーションを実施した。首都圏においても、熊野をテーマに世界遺産熊野本宮館名誉館長の荒俣宏氏の講演と、熊野ゆかりの著名人や田辺市長をパネラーにしたパネルディスカッションを行い、また田辺市のPRブースを設置して情報発信を行った。翌2016年には、東京ビッグサイトで開催された「ツーリズムEXPOジャパン」に出展し、スペインのサンティアゴ・デ・コンポステーラ市と共同で「巡礼の道」をPR。その他の観光資源についても情報発信を行った。また、世界遺産追加登録箇所への誘客のために、モニターツアー、ウォークイベントなども実施した。このような官民協働でのプロモーション活動を行うことで、観光客誘致に向けての取り組みがスムーズになされている。

12-3 | 人口減少・高齢化に対応する人材育成

1　たなべ未来創造塾

　人口減少と高齢化が進んでいく中で、市内には空き家や空き店舗、耕作放棄地の増加、担い手不足など地域課題が山積している。こういった田辺市の地域課題をビジネスで解決しようと、2016年に「たなべ未来創造塾」が誕生した。富山大学地域連携推進機構地域連携戦略室の金岡省吾教授をアドバイザーに招き、地域の若手事業者の新たな挑戦を田辺市企画部たなべ営業室や商工関係団体、金融機関など産・学・官・金連携による地域のプラットフォームが一体となって支援するもので、2020年現在5期目を迎えている。

　7月開講、翌年2月までの8か月にわたるカリキュラム（講義とディスカッションのPBL型講座）を行い、最終プレゼンテーションとポスターセッションを通じて各塾生が実現可能な取り組みとして成果発表を行い修了となる。異業種の12人が1期間に学び、2019年までで47人の修了生がいる。たとえば、スギノアカネトラカミキリの幼虫によって食害を受けた紀州材、虫食い材（あかね材）をデザイン加工し、家具屋や林業ベンチャー、製材店、木工所、一級建築士、デザイナーが手を組み家具や小物の製造販売などを行うプロジェクト「Boku Moku」を立ち上げた例がある。また、害獣による農作物被害を防ぐため、地域の若手農家らでチームを結成、シカやイノシシの捕獲を始めるとともに、ジビエ解体処理施設を探していた業者と手を組み、地域内に加工施設を建設し、ジビエ料理をふるまいたいシェフとともに新たな食文化を発信している「Team HINATA」の例もある。さらには市街地にある築80年の古民家を再生した事例として、ゲストハウス、シェアハウス併設の複合施設を運営している「the CUE」（図12・7）がある。地域課題に取り組んだ結果、田辺に新しい価値を生み出した1〜4期47名の修了生のうち64%にあたる30名の塾生が修了後に起業し、新たな一歩を踏み出している。

図 12・7　the CUE（筆者撮影）

図 12・8
観光カリスマ・坂本勲生氏
（写真提供：熊野本宮観光協会）

2　熊野本宮語り部の会

　かつて熊野比丘尼と呼ばれる女性が、全国を巡って曼荼羅の解説や護符の配布を行い熊野への参詣を勧誘した。今、その役割を担うのが、市内に 10 団体ある語り部の会である。その中でも特に厳しい規則を持つのは、「観光カリスマ」である坂本勲生氏（図12・8）を中心にした「熊野本宮語り部の会」である。

　坂本氏は 1988 年 3 月、本宮町立三里中学校長を退職し、以降本宮町史編纂室長や本宮町文化財保護委員長を歴任した。その間に仲間数人と、和歌山県紀州語り部の会に入会し、その後 1998 年に坂本氏が会長を務める形で熊野本宮語り部の会を設立し現在に至る。1999 年に南紀熊野体験博が和歌山県で開催された際、そこでの同会の活躍が脚光を浴び、熊野古道を世界遺産にという動きを一気に加速させるという重要な役割を果たしたとも言われている。

　熊野本宮語り部の会は、会員の育成のため研修会を毎月開催し、正当な理由がなく研修会への出席率が 5 割に満たない場合は、退会あるいは休会を余儀なくされる。会員は紹介制であり、入会希望者は必ず語り部としての活動を行うことが条件になる。会員になるための手順は次の通り。

　・入会希望者は、熊野語り部の会作成のテキストについて、坂本会長の座学
　　を受けたのち、入会テストとして現地研修でのガイド案内を行い、役員に
　　観察してもらう。

・次に、報告を受けた坂本会長が、役員とともに協議し合否判定を下す。合格となれば、「発心門王子〜熊野本宮大社」間の団体ツアーに3回以上同行研修する。

こうして初めて、熊野本宮語り部の会の事務局からガイドの依頼を受けることができるという。

このような手順を踏むために、市内10団体の語り部の会の中で「熊野本宮語り部の会」に入会するのはかなりハードルが高いと言われている。

1928年7月生まれの坂本氏は、熊野の歴史について1つずつ紐解き、後世に残すために、毎日、世界遺産熊野本宮館で作業を行う。「熊野古道自体が歴史であり物語である。道端の1本の木、お地蔵様の1つに伝承がある。こういう話をすると、皆さんの目が輝きます」。坂本氏は、そういう人たちと出会うことが一番の楽しみだと言う。「熊野に生まれ育った人間として、この素晴らしさを次代に語り伝える。それはごく当たり前のこと」と、後進の育成に力を注ぐ*7。筆者が熊野古道の一番の魅力を尋ねると、「雨が降っていた時、語り部としてお客さんと歩いていたんです。そのうち雨がやんでふと周りを見ると、神々しい光が霧の間から差し込んできて、その瞬間はお客さんたちと思わず歓喜の声を上げました。今でも忘れることができません」と語ってくれた。

熊野本宮語り部の会の会員数は30人で、2020年9月時点で平均年齢67歳と高齢化が進んでいる。このため坂本氏が、退職後始めた取り組みの1つに、語り部ジュニアの育成がある。当初は地元の三里小学校のみが総合学習の一環で行っていたが、現在は田辺市内の他の小学校・中学校にも広まっている。「本宮町では町民すべてが語り部になってほしい」と語る坂本氏の心には、地域を愛で、大切に育てていこうとする気概がある。

3　田辺市大学連携地域づくり事業

「短期的には『賑わい、担い手の創出』を、中長期的には学生が市の中で役割を持って定着し、『大学はないが、大学生はいる』状態をつくりたい」という考えから、大学連携地域づくり事業の取り組みが田辺市にある。この事業は

図12・9　菓子店にアレルギー食材の英訳リストを提供　(筆者撮影)

同市が大学と連携を行うことによって、学生を地域に呼び込み、人口減少や過疎化などをはじめとする課題に地域住民とともに取り組み、また新たな人の流れを創出することを目的にしたものである。これまで7大学と連携協定を結んでおり、市が補助金などを交付している。交付を受けるための対象事業は、1) 地域の持続と振興に資すると期待されるもの、2) 市内への学生の参加があり、1泊以上の宿泊を伴うもの、3) 地域や行政との連携が認められるもの、とされている。

　各大学は補助金を利用して、田辺市にある扇ヶ浜海水浴場で「海の家」を運営したり、地域課題解決のためのフィールドワークを行ったりと、田辺市における関係人口を増やす取り組みを行っている。そのような連携の中で、2018年には、大学在学中から交流のあった卒業生が田辺市に移住し、熊野本宮大社近くに「くまのこ食堂」をオープンした。その他、「外国人観光客おもてなし力向上事業」に参加した店舗への事後調査から、アレルギー食材の英訳リストを作成し、菓子店舗に配布した学生たちの事例もある（図12・9）。

4　高齢化が進む旧本宮町地域と言語接遇

　熊野本宮大社や、川湯、湯の峰、渡瀬温泉が位置する旧本宮町地域では、訪日観光客の国別割合を見ると、欧米豪を中心にした観光客の増加が著しく、この地域を訪れる外国人観光客の約80％を占める（2019年）。そのため、地域ぐるみの英語対応が非常に重要となっている。田辺市全体の人口を見てみると、2020年3月には7万2561人で、うち老齢人口が2万3931人と高齢化率が33％になっている（表12・2）。その中でも、旧本宮町地域に至っては、高齢

2020 年 3 月現在	田辺市計	旧田辺市	旧龍神町	旧中辺路町	旧大塔村	旧本宮町
全人口	7 万 2561	6 万 1738	3075	2590	2537	2621
年少人口	8251 (11%)	7394 (12%)	248 (8%)	176 (7%)	254 (10%)	179 (7%)
生産年齢人口	4 万 0379 (56%)	3 万 5190 (57%)	1500 (49%)	1235 (48%)	1333 (53%)	1121 (43%)
老齢人口	2 万 3931 (33%)	1 万 9154 (31%)	1327 (43%)	1179 (46%)	950 (37%)	1321 (50%)

田辺市資料をもとに筆者作成

化率が 50％となっている。観光従事者の高齢化や、人口減少による人材不足という前提がある中、熊野地域では外国人観光客の増加に伴い、今まで英語を使う必要のなかった観光関連従事者の英語対応が喫緊の課題となっている。

　旧本宮町地域は民宿が多く、旅館も含めて、世界遺産に登録されて訪日外国人観光客が増加するまでは、英語を使う必要性はほとんどなかった。しかし、2014 年以来外国人宿泊者が急増している（図 12・10）。筆者はこの地域にかかわって 5 年になるが、その中で分かった地域ニーズがある。それは、1. 宿泊産業における高齢化に伴うこれからの人材育成の必要性（I ターン、U ターン、J ターン＋インターン）、2. 外国人宿泊者の増加に伴う地域の観光従事者への英語教育の必要性、およびその普及のための熊野本宮観光協会との協働である。1. に関しては、特に旧本宮町における高齢化が急速に進んでいる。また、2. の「地域の観光従事者への英語教育の必要性」については、2019 年 2 月にこの地域の宿泊施設の経営者に聞き取りを行ったところ、16 軒のうち 12 軒は英語であいさつができる程度、2 軒はあいさつ程度の意思疎通も難しいというレベルであり、緊急時の対応や、日本の習慣・食事についての説明に改善の余地があることが分かった。

　現在は熊野トラベルが、宿泊代のカード決済業務を代行し、ベジタリアンであるといった食事のリクエストを前もって聞いて宿泊施設に伝えておくことでかなりのトラブルを回避しているが、以前は、宿泊施設に外国人が予約なしで直接来ると身振り手振りで宿泊を断ったりしていたという。

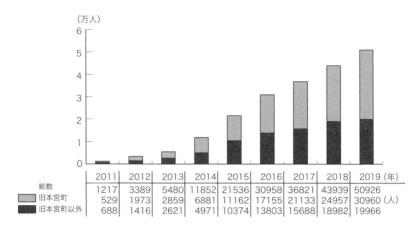

図 12・10　田辺市の外国人宿泊者数の推移
（田辺市資料をもとに筆者作成）

　一方で、外国人宿泊者への対応を避けてきた宿泊業者の中にも変化が表れてきた。「初めて外国人を受け入れた時は不安でした」と言う民宿の女将さん（70歳）が、外国人のニュアンスを理解するようになってきたと話す。バス停を尋ねられた時にその場で何もできなかったもどかしさをばねに、今では単語をつなげて英語で対応するようになったと語り、「ジェスチャーを交えながら伝えることで対応しています」と言う。英語で伝えられない際には、バス停まで一緒に行く、傘をさして出迎えるなどの工夫もしていると言う。別の女将さんからは、夕食と朝食時間の確認や、浴室や室内での必要なことは田辺市熊野ツーリズムビューローが作成した「おもてなし用英語表記シート（指差し表)」に書かれており、基本的に問題はないという回答や、室内にスリッパで入ってきた時は、"Sorry."と"No."の２語で対応し、熊野トラベルからの食事のリクエストがある外国人宿泊客に対しては、到着した際に再度、"No meat?　Nopork?　No chicken?　No breakfast?　No dinner?"といったフレーズで確認をするという話も出た（岩田、2018）。この地区の宿泊施設に限定すると、意思疎通は難しいと回答しながらも、外国人観光客の受け入れには積極的であり、そのために、接客のための英語指導よりも、「スマホやタブレットの翻訳アプ

リを利用したい」「館内ルールの英語表記を充実させたい」「会話冊子がほしい」などの要望があった。しかし、コミュニケーションがうまくとれなかった時は、「お客様のためにもっと英語を勉強しておけばよかったと思う」という回答も多くあった。

　Jasso-Aguilar（1999）が、ワイキキホテルのメイドとして現場に入り込み、研究者自ら現場の仕事内容や使用言語に触れ、情報源を特定するための参与観察の必要性を報告したように、外国人宿泊客の多い 11 月（2019 年）、筆者は旧本宮町地域にある旅館にお手伝いに入り、72 歳になる女将の英語対応をビデオに撮らせてもらった（岩田、2019）。その時の会話が以下である。（G：宿泊客　H：女将…英語自己評価レベルは挨拶程度）

H：Your room Uzuki. Go out right down, uh…toilet. OK? Step down first floor right down, public bath and shower. OK? Uh…From now to morning nine o'clock. Ahh, dining…yeah…dinner time, six, six thirty, or seven? Your choice.

G：Six thirty?

H：Six thirty. Please step down dining room. And do you have swim wear? Swimming wear?

G：No.

H：No? Open air bus（bath）. Front door left down, thirty meter, river side, small hole, natural onsen.

G：This one?（館内マップの大浴場を指しながら）

H：Separate. No swim wear.

G：Don't wear swim…

H：No.

G：Oh, OK. No swim wear.

H：Yukata size change. Please wait.

G：Oh, yeah.

H：あなたの部屋、卯月。すぐ下におりて、ええ…トイレ。OK？　1階を降りて、大浴場とシャワー。OK？　ええと…今から朝9時まで。ああ、食事…ええ…夕食の時間、6時、6時半、または7時？あなたの選択。

G：6時半？

H：6時半。食堂を降りてください。そして、水着はありますか？水着？

G：いいえ。

H：ない？オープンエアバス（発音は車両のバス）。玄関左下、30メートル、川沿い、小穴、天然温泉。

G：ここですか？（館内マップの大浴場を指しながら）

H：別々。水着なし（水着は必要ありません）

G：水…は、着ない？

H：着ないでください。

G：ああ、OK。水着なしで。

H：浴衣のサイズ変更。お待ちください。

G：ああ、そう。

女将さんの発話には文法的誤用が見られたが、女将独特のおもてなしの表情（身振り手振り、アイコンタクト）も交えたやりとりの結果、その外国人客は、内風呂も入った後、18時半に食堂に降りてきた。女将さんの外国人宿泊者への言語接遇に対し、客側も女将さんの発話の意図を読み取ろうとしていた。ただし緊急時の対応は、田辺市熊野ツーリズムビューローや熊野トラベルに頼らざるを得ず、食事時の飲み物の注文や料理の説明なども、うまく応対できないため、顧客満足度を高める言語接遇のさらなる研修が必要であると思われる。

12-4 　地域活性化に向けた海外発信と受け入れ態勢の強化

　本章では、和歌山県田辺市が「世界遺産等を活かした魅力あるまちづくり」の基本計画のもと行っている、交流人口である訪日外国人客への積極的な海外

発信、それに伴う受け入れ態勢の拡充と人材育成など、地域住民と連携した着地型観光によるまちづくりの取り組みについて述べてきた。

世界遺産登録後、地元の受け入れ態勢を整えてきた田辺市行政と、一般社団法人である田辺市熊野ツーリズムビューローの官民協働の海外戦略により、多くの外国人観光客、特に旅慣れた FIT（個人旅行者）の集客に成功し、全国からその観光戦略が注目されている。同時に、レジリエントなまちづくりを目指して、人々の交流を活発にするような、地域の担い手づくりに力を入れて、人口減少のスピードを鈍化させようとしている。それは、起業する若者だけでなく、語り部ジュニアの育成や、高齢化が進む歴史的観光地でのシニア世代の人材育成にまで及んでいる。国土交通省による「観光立国推進基本計画」の推進計画（2017 年 3 月）の中では、観光振興に寄与する人材の育成とともに、観光産業の人材不足に対して、観光産業を志望する学生や働きたいシニアなどの幅広い人材の活用を促進するという取り組みがある。また、持続可能な地域社会と観光のあり方を目指した地域の取り組みとして、官民協働による観光の取り組みが多くの地域で見られる。こういった熊野モデルの汎用性を探ることで、同様の課題を抱える他の地域の観光従事者への活用や、外国語対応に不慣れな働きたいシニア世代への支援が可能になるのではないかと思われる。

謝辞：本研究の調査にあたり、ご協力いただいた田辺市役所、本宮観光協会、熊野本宮語り部の会、田辺市熊野ツーリズムビューロー、および関係者の皆様には心より感謝申し上げます。
＊なお、本研究は科研費 18K00806 の助成を受けた一部である。

［参考文献］

・岩田聖子（2018）「地域に貢献する観光英語　和歌山県田辺市本宮町における世界遺産地域を中心にして」『追手門学院基盤教育論集』6 号、pp.1 ～ 11
・岩田聖子（2019）「高齢化が進む観光地での外国人観光客への言語的接遇」『追手門学院基盤教育論集』7 号、pp.1 ～ 14
・観光庁（2017）『観光交流人口の経済効果』
・竹田茉耶、工藤泰子（2016）「高野山におけるインバウンド観光と観光まちづくり　―外国人観光客の満足度調査から―」『島根県立大学短期大学松江キャンパス研究紀要』Vol.55、p.1 ～ 10
・田辺市（2017）『世界遺産等を活かした魅力あるまちづくり基本計画』

・田辺市熊野ツーリズムビューロー ウェブサイト「熊野古道」(http://www.tb-kumano.jp/kumanokodo/)
・「本社大学調査(上)グローバル化 多岐に」『日本経済新聞』2019 年 5 月 22 日
・日本創成会議(2014)『ストップ少子化・地方元気戦略(要約版)―戦略の基本方針と主な施策―』
・株式会社日向屋ウェブサイト(https://team-hinata.com/)
・「Boku Moku」ウェブサイト(https://www.bokumoku.org/)
・Jasso-Aguilar, R. (1999), 'Sources, Methods and Triangulation in Needs Analysis: a Critical Perspective in a
  Case Study of Waikiki Hotel Maids', *English for Specific Purposes*, 18, pp.27-46
・'BEST IN TRAVEL Kii Peninsula', *Lonely Planet Japan*, 2018, p.78

[注]

＊1　観光立国懇談会(2003)『観光立国懇談会報告書』
＊2　厚生労働省「人口減少克服に向けた取り組み」『平成 27 年版厚生労働白書』
＊3　2015 年の国勢調査を基にしたデータ。
＊4　詳しくは「県立高校 15 年後に 20 校程度に　県教委、年内に再提案」『紀伊民報』(2020 年 8 月 8 日)を
　　参照されたい。
＊5　詳しくは「まち・ひと・しごと創生長期ビジョンについて」(https://www.kantei.go.jp/jp/singi/sousei/
　　pdf/20141227siryou3.pdf)を参照されたい。
＊6　*Lonely Planet Japan*, 2017, pp.415-416
＊7　「特集　熊野転生」『和歌山県総合情報誌「和 -nagomi-」』(2014 年 7 月 7 日付、和歌山県広報課)を参照
　　されたい。

第13章

外国人と共生する環境整備とブランディング
──北海道・ニセコ

13-1 | 国際リゾート地・ニセコ

　国際的リゾート地として民間がリードしていく形でブランディング化に成功したニセコ観光圏は、国内の人口が減少し経済が縮小していく中、生産人口の比率が高く、定住人口も増加をしている数少ない地域である。地域活性化モデル地区に指定され、多くの外国人客の来訪だけでなく、外国人の季節労働および定住や、海外からの投資など、観光によってもたらされたグローバルモビリティによって、多文化共生の地域として「住みたい・暮らしたい」という「居住ブランド化」が進んでいる。本章では、外国人と日本人が共存していく文化の多様性を持つ地域として、また国際的リゾート地として世界的ブランディング化に成功したニセコ地域のうち、筆者が訪問したニセコ町と倶知安町の多様性と課題を概説し、「よそ者」（敷田、2009）による地域イノベーションや、自治体が取り組む課題解決に向けた施策について述べる。

　「ニセコ」とは、外国人を含む観光客を中心に人気の高いニセコ山系周辺の倶知安町、岩内町、共和町、蘭越町、ニセコ町からなる広大な地域の呼び名であり、その中でも、ニセコ町、倶知安町、蘭越町を中心としたエリアは「ニセコ観光圏」と呼ばれている（図13・1）。ニセコ観光圏は標高1308mのニセコ

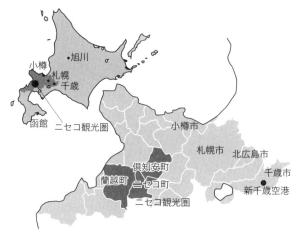

図13・1　ニセコ地域の位置

(出典：「ニセコ観光圏」ウェブサイトをもとに作成)

アンヌプを主峰とするニセコ山系や、蝦夷富士の異称を持つ羊蹄山などに囲まれ、中央には尻別川が流れる豊かな自然環境がある。古くからスキーヤーや旅行者には知られていたが、近年、その自然に魅了された倶知安町在住のオーストラリア人をはじめ地元の人たちの努力によって、世界中から多くの観光客がやってくるリゾート地として有名になった。札幌市や新千歳空港から車で約120分とアクセスが良く、冬には良質の雪が、標高がそれほど高くない場所に豊富にあり、スキー場に直結している宿泊施設が多いなど、世界からのスキー客を呼び込む魅力的な観光資源に恵まれている。本章では、ニセコ観光圏のうち調査で訪れたニセコ町と倶知安町について述べたい。

13-2 ｜ ニセコ町の取り組み

1　ニセコ町の概要

　ニセコ町は道央の西部、後志管内のほぼ中央に位置し、山岳に囲まれた傾斜の多い丘陵盆地を形成している。このため内陸的気候を呈し、平均気温（2013〜2018年）は7.2℃である。また、冬の最深積雪は平均で148cmだが、多い年は200cm、少ない年は88cmと気象に大きく左右される。面積197.13km^{2}のうち山林が全体の約半分を占め、次いで原野、畑となり、宅地は2.54

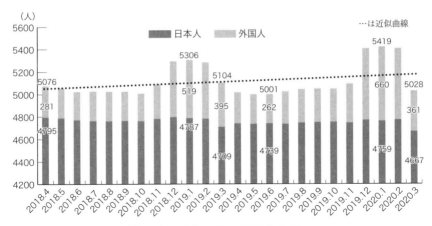

図13・2　ニセコ町の月別人口（2018年4月〜2020年3月）

（ニセコ町資料をもとに筆者作成）

km² とわずか1％ほどである。

　人口は1985年に約4500人まで減少したが、それ以降は緩やかに増加し、2020年1月現在では約5400人となっている。これは社会増によるもので、近年10年間の増加率は2.8％と高い。その理由は、北海道の自然へのあこがれと同時に、ニセコというブランドの魅力によるものと考えられる。人口推移を見ると、冬場の短期リゾート（12〜3月）が終わると本国に帰っていた外国人が、夏にも住むようになり、外国人の定住者数が右肩上がりとなっている。外国人人口の割合は、夏場が5〜7％、冬場は約10％になる（図13・2）。2011年に北海道インターナショナルスクールのニセコ分校が開設されるなど、外国人が定住しやすい環境づくりが進んでおり、地元の地域イベントに外国人の子どもが参加しているケースも多い。就業人口から見た主要産業は、農業、飲食・宿泊業であるが、第3次産業が全体の約70％を占めている（2015年国勢調査）。外国人観光客の宿泊客数は、2004年度の1万3833人から2019年度には21万7195人へと、15年間で16倍に増えた。

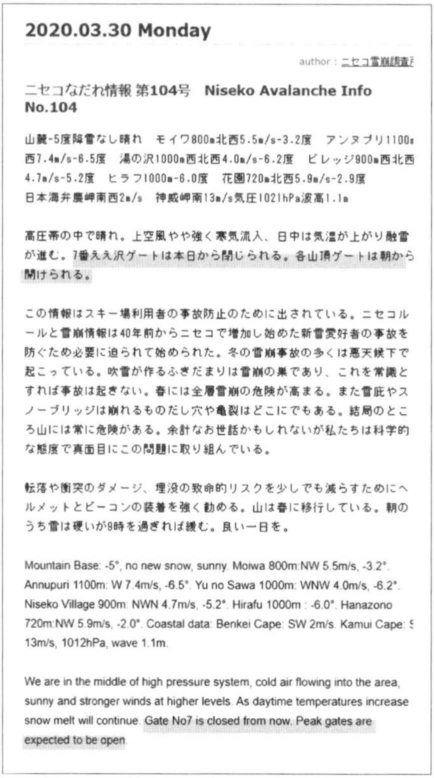

2020.03.30 Monday

ニセコなだれ情報 第104号　Niseko Avalanche Info No.104

山麓-5度降雪なし晴れ　モイワ800m北西5.5m/s-3.2度　アンヌプリ1100m西7.4m/s-6.5度　湯の沢1000m西北西4.0m/s-6.2度　ビレッジ900m西北西4.7m/s-5.2度　ヒラフ1000m-6.0度　花園720m北西5.9m/s-2.9度　日本海弁慶岬南西2s/s　神威岬南13m/s気圧1021hPa波高1.1m

高圧帯の中で晴れ。上空風やや強く寒気流入、日中は気温が上がり融雪が進む。7番ええ沢ゲートは本日から閉じられる。各山頂ゲートは朝から開けられる。

この情報はスキー利用者の事故防止のために出されている。ニセコルールと雪崩情報は40年前からニセコで増加し始めた新雪愛好者の事故を防ぐため必要に迫られて始められた。その雪崩事故の多くは悪天候下で起こっている。吹雪が作るふきだまりは雪崩の巣であり、これを常識とすれば事故は起きない。春には全層雪崩の危険が高まる。また雪庇やスノーブリッジは崩れるものだし穴や亀裂はどこにでもある。結局のところ山には常に危険がある。余計なお世話かもしれないが私たちは科学的な態度で真面目にこの問題に取り組んでいる。

転落や衝突のダメージ、埋没の致命的リスクを少しでも減らすためにヘルメットとビーコンの装着を強く勧める。山は春に移行している。朝のうち雪は硬いが8時を過ぎれば緩む。良い一日を。

Mountain Base: -5°, no new snow, sunny. Moiwa 800m:NW 5.5m/s, -3.2°. Annupuri 1100m: W 7.4m/s, -6.5°. Yu no Sawa 1000m: WNW 4.0m/s, -6.2°. Niseko Village 900m: NWN 4.7m/s, -5.2°. Hirafu 1000m : -6.0°. Hanazono 720m:NW 5.9m/s, -2.0°. Coastal data: Benkei Cape: SW 2m/s. Kamui Cape: S 13m/s, 1012hPa, wave 1.1m.

We are in the middle of high pressure system, cold air flowing into the area, sunny and stronger winds at higher levels. As daytime temperatures increase snow melt will continue. Gate No7 is closed from now. Peak gates are expected to be open

図13・3　ニセコなだれ情報

（出典：ニセコなだれ事故防止対策協議会）

2　ニセコ町の魅力と「ニセコルール」

ニセコ町の観光客は、1月と8月にピークを迎える。近年の外国人観光客の増加は、2001年9月11日の米同時テロをきっかけに、危険に敏感になった外国人が、安全安価な観光地として日本を選んだということも背景にある。さらに、整備されたスキー場区域の外の新雪を滑る「バックカントリースキー」愛好者に対する「ニセコルール」の制定が、スキー客の注目を集めるのに大きな役割を果たした。

ルールづくりの中心になったのは「ニセコのレジェント」と呼ばれている新谷暁生氏で、27歳の時にニセコ町に移住し、現在は町内のロッジ・ウッドペッカーズのオーナー兼、ニセコ雪崩調査所の所長を務めている。1980年代には、外国人スキーヤーによるバックカントリースキーが常習化しており、雪崩の多いニセコで死亡事故を起こすことが多々あり、真似をした地元の子どもたちによる重大事故にもつながった。このため2001年、スキー場のコース外に出るゲートをつくって、完全立ち入り禁止の危険地帯以外は滑走を認める代わり、最低限守るべきルールを定めてその順守を求める「ニセコローカルルール」が制定された。

2008年に「ニセコルール」と改称され、2009年には民間組織「ニセコなだれ事故防止対策協議会」による「ニセコ雪崩研究所」が設立された。スキーヤ

ーの命を奪う雪崩事故をなくすため、町役場、研究所、町民が集まり、定期的にミーティングを行っている。シーズン中には、ニセコの全山で毎日早朝4時からパトロールを行って雪の状態を確認し、気象状況と合わせて、ゲートをオープンするかどうかを話し合う。これらの情報をブログやデジタルサイネージで発信（図13・3）し、各スキー場のリフト営業開始時刻までに作業を終わらせる。毎回の情報のフォロワー数は約4000人に上り、この取り組みは2014年のワールドスキーアワードを受賞している。

ニセコの雪は、Japanとpowder snowを組み合わせた造語、"Japow"と呼ばれている。日本海から流れ込んできた空気が雪に適度な湿度をもたらし、スキーヤーにとって浮遊感を感じることができるパウダースノーをつくる。また、夜の間に降った雪が翌朝、滑り跡のないノートラックの白銀の世界をつくる。SNSでハッシュタグ「＃Japow」を検索すると、世界中のスキーヤーが魅了された"Japow"の画像やイメージの世界が広がっている。

オーストラリア人は早くからニセコに注目しており、カナダや欧州と比べて距離が近く時差がないというロケーションの優位性と、温泉、食事、日本文化等を通じた異文化体験に加えて、カナダ、欧州より安いツアー料金が魅力となっていた（鬼塚、2006）。

ノートラックで滑ることの魅力を発見したのは、バックカントリーの楽しみ方を知っているオーストラリア人であり、彼らがこのニセコエリアを開拓したと言っても過言ではない。そういった魅力が口コミで広がり、多くのオーストラリア人がやって来るようになった。オーストラリアから札幌に来日し、その2年後に倶知安町に移住した実業家ロス・フィンドレー氏（後述）もその1人である。彼によって、ニセコエリアの優良な自然を楽しむアクティビティが考案・紹介され、豊富な自然資源に「付加価値」がついて、「リゾート型滞在」の可能性が口コミで広がったことで、海外からの観光客誘致が促進された。また、これまでは欧米豪、特にオーストラリア人が多かったのが、近年、メディアでニセコ町が盛んに取り上げられるようになり、格安LCCの就航もあって韓国、中国、アジア系の観光客が増加している。ニセコのスキー場には、上級

者向けから初心者向けまで様々なコースが設けられており、初心者スキーヤーの多いアジア系の観光客の受け入れが可能な点も利点として挙げられる。パウダースノーを滑るには技術が必要なため、スキー初心者が多いアジア圏のスキー客は、技術の向上というよりはニセコにブランド価値があるということでリピートしている。

3　ニセコ町の異文化交流と多様性

　ニセコの多様性は、国内外に開かれている。第1の取り組みとして、「国際交流ニセコ FRIENDS」（正式名称：ニセコ町国際交流推進協議会）が挙げられる。ニセコ地域の国際交流を推進するために 2011 年に設立され、ニセコ町に勤務している国際交流員（CIR）が開催する国際交流イベントで、地域住民が国籍問わず交流できるようサポートしている。ニセコ町には現在 4 名の国際交流員が任期つき職員として勤務中で、町はさらなる増員を検討している。彼らは、多言語パンフレットの作成やスキー場での観光客満足度調査の実施、観光客を誘致したいターゲット国の旅行業者やブロガー、メディア関係者を招くモニターツアー「FAM トリップ」用の配布資料作成などに従事しているだけでなく、地域での交流イベントを実施している。これらの経験を通して、彼らはニセコを、地元の人と外国人との交流によって生まれるダイバーシティ（多様性）によって形成された居心地の良いコミュニティだと感じている、とインタビュー調査の中で語った。

　第2の取り組みとしては、「ふるさと住民票」という都市部から住民票を移動して生活の拠点

図 13・4　駅前を飾るニセコハロウィンイベント

（出典：北海道ニセコ町ウェブサイト「ニセコハロウィンイベント開催！」https://www.town.niseko.lg.jp/information/1309/）

を移す仕組みを利用した、「地域おこし協力隊」の制度があげられる。任期3年の協力隊員は、外国人に日本語を教えたり、農業や観光の支援活動に従事したりしており、将来的にニセコでの定住が可能になるよう町が研修を行っている。2011年の導入開始から2018年までに34人の隊員を受け入れ、卒業生20人のうち14人は、卒業時に町内への定住を選んだ。

　第3の取り組みは、住民主体に広がった10月の「ニセコハロウィンイベント」である（図13・4）。町内にカボチャ2000〜3000個を並べ、コスチュームイベントなども開催する。岩崎ファームの岩崎とし子さんが代表を務める「コロボウシとカボチャの物語」実行委員会が2008年より、地元住民と海外から移住した人や滞在者とをつなぐ、異文化交流イベントとして行っている。参加者には、ハロウィンイベントがある秋だけでなく、春からのカボチャ栽培に協力してもらい、在住外国人との多文化共生の取り組みの一端を担っている。

　最後は、2011年に4名の児童で開校した北海道インターナショナルスクール（HIS）のニセコ分校である（図13・5）。外国人が安心して定住し、子女たちに十分な教育を受けてもらうと同時に、学校運営の継続的な安定を図るために、ニセコ町役場の多くの職員が開設に関わった。ニセコ分校校長代理であるバリー・マーニン氏によれば、筆者が分校を訪れた2020年1月時点の児童数は小学校5年生まで29名で、外国人教師4名、日本語教師1名、助手1名、事務職員1名がいる。児童たちはニセコ分校を卒業すると、札幌のインターナショナルスクールに入学して中学生活を寮で過ごすか、地元の中学校に入るかの2つの選択肢から選ぶことになる。他のインターナショナルスク

図13・5　北海道インターナショナルスクール（HIS）ニセコ分校（筆者撮影）

ールと比べると安価で、子ども3人目の入学からは授業料が半額となるシステムを採用している。倶知安町にオープンしたばかりの高級ホテル「パークハイアットニセコ HANAZONO」の社員の子どもたちもここで学んでおり、海外からの転勤者や移住者の家族に対する教育環境を整えている。ニセコ分校では年に2度、地域の小学校とも交流を行い、「ニセコハロウィンイベント」のコスチュームコンテストなどにも参加することで、町の活性化にも寄与している。

　これらの情報や教育環境などの詳細については、行政が英語で発信し、外国人と情報を共有している。行政が発行する「生活ガイドブック」も多言語化されているが、日本人女性と外国人男性のカップルが増えており、情報の不明点は家庭内で解決することも多いという。

4　成長するニセコ町──持続可能な街区の開発と課題

　定住人口の増加を見ると、特に30〜40代の生産人口増加が顕著であり、商工会の会員数も増加している。その結果、税収も増え、花屋や散髪屋などもオープンして町の活性化に寄与している。それに従って幼年人口が増加し、町内の小学校の教室が手狭になってきており、増築が見込まれている。企業進出も盛んで、世界のお茶専門店「ルピシア」は2017年に操業したニセコ工場を2020年にニセコ本社として東京との2本社制を導入し、本社機能の一部の移転をしている。また日本酒の「八海山」を製造する八海醸造はウイスキー蒸留所を建設し、2020年冬シーズンの生産開始に着手している。その他、「茅乃舎だし」で人気の久原本家も工場移転計画を予定している。

　こうした人口増加が原因で、町内では住宅不足の状況が慢性的に続いている。宅地開発では、上下水道のインフラの整備が急激な人口増加に追いついておらず、市街地の開発余地がないため、民間主導でも住宅供給が追いつけない状況になっている。さらに、空き家が出るとすぐ不動産業者が購入し（空き家率1.4%）、地価の上昇で一般人には手が届きにくくなっている。宅地が限られているので、行政は住居を希望する住民たちを公営アパートに誘導しているが、

その家賃は札幌市とほぼ同額の高さだという。こういったインフレは賃金上昇にも表れており、たとえばラーメン店のアルバイト時給が 1000 円になっている。2020 年 2 月現在の有効求人倍率は 2.3 倍、サービス業に限ると 5 倍を超えており、人手不足のために公務員の希望者も減少傾向にある。また建設業者の人手不足が、さらなる住宅不足を引き起こしている。現在、公営住宅は 400 戸あり、人口の 2 割が公営住宅に住んでいるが、空き室待ちの状態となっている。

　このような住宅不足や人手不足に加え、1 戸あたり年間 28 万円（灯油 8.5 万円＋他の光熱費＋ガソリン代 13.5 万円など）という高額なエネルギーコスト、異常気象による降雪量の減少によってもたらされる農作物の品質の低下、スキーリゾート地の雪不足によるニセコの魅力の減少など、ニセコが抱える課題は多い。これに対して、ニセコ町は持続可能な SDGs の取り組みとして、『小さな世界都市ニセコ』から『環境創造都市ニセコ』への転換を目指している。

　ニセコ町は 2001 年、まちづくり自治の基本を「世界水準のまちづくりへ」と定め、2018 年には、SDGs のまちづくりを先導的に進める自治体の中で、未来都市のモデル自治体として「環境モデル都市」に選ばれた。その核となるプロジェクトとして、エネルギーを中心に経済、社会、環境の各側面から持続

図 13・6　1 次エネルギー消費量を 22% 削減したニセコ町環境負荷低減モデル集合住宅第 1 号物件

（出典：北海道ニセコ町資料「ニセコ町環境負荷低減モデル集合住宅　No.1」
https://www.town.niseko.lg.jp/resources/output/contents/file/
release/1717/31736/No.1.pdf）

可能な地区をつくる「NISEKO 生活・モデル地区形成事業」に着手した。1. 人口増加への対応、2. コンパクトな街区の計画、3. 緑のインフラ、4. 超高断熱・超高気密な建物、5. 再エネ・地域熱共有の活用、6. 集合型駐車場の整備、7. 自然との共存、8. 社会的交流を目指した新たなコミュニティエリアとして、行政主導による 300 〜 400 人のゾーンを設けてエコ住宅を建築する。そこへ、新たな生活空間として、省エネ、エネルギーの地産地消といった制限のある暮らしに納得し、自ら環境に関わっていく人々を呼び込む計画だ。

また、2050 年度には CO_2 排出量を 1990 年と比較して国の目標値マイナス 80％を上回るマイナス 86％とすることを目指す計画を立て、持続可能なまちづくりへの取り組みを行っている。たとえば、ニセコ町環境負荷低減モデル集合住宅整備促進事業として、環境に配慮した民間賃貸住宅に建設費の一部を補助している（図 13・6）。

その他、2004 年 10 月に景観条例を定めるなど地域景観の保全に取り組み、また環境基本計画の柱として、2011 年には水利権に関する地下水保全条例も制定し、水環境の保全にも取り組んでいる。

このような政策の根本にあるのが、ニセコ町に根づく住民自治の考え方である。ニセコ町の歴史を見ると、1922 年に、有島武郎が所有地を小作人に無償開放するに至った日本最初の自治基本条例が定められており、その精神を受け継ぐように 1996 年から始まった「まちづくり町民講座」の開催はこれまでに 190 回（2020 年 7 月現在）に及んでいる。また、現在月 1 回、町長が町民に対応する「こんにちは町長室」をひらくなど、町全体で情報共有することで町民 1 人 1 人が自ら考え行動するまちづくりを進めている。

13-3 　倶知安町の取り組み

1　倶知安町の概要

ニセコ町の北東部に広がる倶知安は、平均気温が 7.3℃（2013 〜 2018 年）

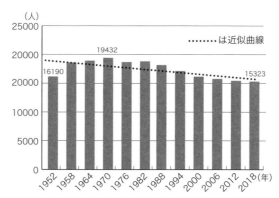

図13・7　倶知安町の人口総数の推移

（倶知安町資料（2019年）をもとに筆者作成）

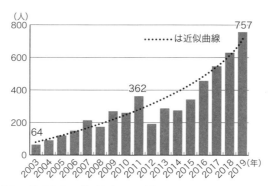

図13・8　倶知安町の外国籍住民数（各年9月末）

（倶知安町資料（2019年）をもとに筆者作成）

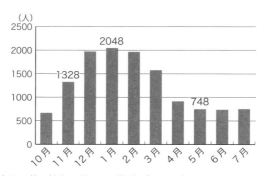

図13・9　倶知安町の外国籍住民数の月別推移（2018年10月〜2019年7月）

（倶知安町資料（2019年）をもとに筆者作成）

とニセコ町とほぼ同じだが、冬の最深積雪は平均197cmと、やや雪深い。総人口は1万5375人（2020年7月末現在）で、この20〜30年間、1万5000人前後の横ばいが続いている（図13・7）。ニセコ町と同様に生産人口である30代の割合が多い。外国人の移住が年々増えてきており（図13・8）、冬季の外国籍住民数は夏季の約3倍になっている（図13・9）。面積は261.3 km^{2}で、総面積の26%にあたる68km^{2}が山林である[*1]。

コロナ禍の現在でも国際的リゾート地として、外国資本のホテルやコンドミニアムの建築などが進み、倶知安町の地価上昇率は6年連続で全国一となっている[*2]。路線価も毎年28〜88%上昇し、2020年は1m^{2}あたり72万円と、2014年の5万円から14.4倍になっている。それに伴って地元の物価も上がり、町内のホテルでは和食レストランのウニが1貫2000円、ラーメン屋では海鮮ラーメンが3500円で提供されている。外国資本によるリゾート地への転換による富裕層に向けたサービスの向上に、物価の上昇が比例している。

雇用関係では、国や北海道庁の出先機関が多いために公務員が多く、倶知安町役場も地域外から人を受け入れている。冬季の求人倍率も非常に高く、時給はラーメン店で首都圏並みの1100円、仕事によっては2000円近くになるため、リフトチケットを無料で配布する等の福利厚生が従業員確保のための重要なキーとなっている。それでもレストハウス従業員の応募は少なく、特にカフェスペースの若い女性スタッフがなかなか集まらないのが現状である。また、英語力があるかないかにかかわらず人手不足は続いており、バス、タクシーに関して、ドライバーが少なく、タクシー台数は増えていない。外国人は2種免許がとれないため外国人の季節労働者をタクシー運転手として雇用することができず、冬季のタクシー不足はかなり深刻になっている。世界的にスノーリゾートとして知られているため、季節別の宿泊者も冬に偏っており、今後は夏のグリーンシーズンの観光客数をどのように底上げするかが課題となっている。

環境への取り組みではSDGsなどの考え方を取り入れ、行政として1年を通しての地域の魅力創造と開発抑制に対し、早急に必要な対策を進めている。ニセコ町が先進的な環境政策を打ち出しているのと比べ、倶知安町は、2020

年度景観づくり制度構築事業に乗り出し、景観行政団体を目指した環境配慮を計画として策定しているものの、リソースが限られているため、持続可能性は考えつつも環境都市宣言はしていない。ニセコ町とともに、キラーコンテンツである雪を中心に、他の海外リゾートとの競争でニセコエリアのブランド価値を上げる必要がある一方、異常気象などへの環境対策を講じていく必要がある。

2　倶知安町の外国人宿泊者の変化

　倶知安町の冬の宿泊者の8割が外国人で、特に平日はほとんどが外国人である。その中でもオーストラリア人の宿泊者が多く、2000年代は外国人観光客のうちオーストラリアからの観光客が8割を占めていた。2001年度の外国人観光客宿泊者数は総計で4216人だったのが、2018年度は15万1038人と36倍に増加した。同時に、国別ではオーストラリアのシェアが下がってアジア諸国が増加し、近年はアジアの中でも香港、中国、シンガポールからの観光客が多い（図13・10）。またアメリカからの観光客も増加しており、ニセコエリアのブランディングとプロモーションを行っている地域連携DMOのニセコプロモーションボード（NPB）は、北米とヨーロッパ市場を開拓先として定めている。NPBのパンフレットは、日本語と英語の併記であり、英語圏を中心にした人の呼び込みを行っている。

3　通年リゾート化へのプロモーション

　冬のスキーによる観光が主だったニセコ地域に、ラフティング（渓流下り）という夏の体験観光の魅力を付加し、広く国内外から観光客が集まる通年観光の地に変貌させたオーストラリア人がいる。ラフティングツアーの安全性やサービスの向上を通じて、ラフティング人口の増加と夏の観光客の増加に寄与したとして、観光庁から「通年型アウトドア体験観光のカリスマ」の認定を受けたロス・フィンドレー氏である。ニセコルールの制定に関わった新谷氏と同様、フィンドレー氏も20代で倶知安町に移り住み、1994年にNAC（ニセコアドベンチャーセンター）を設立した。スキーのインストラクターをしながら、夏

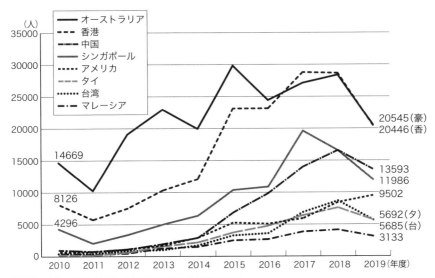

（人）

凡例
オーストラリア
香港
中国
シンガポール
アメリカ
タイ
台湾
マレーシア

14669
8126
4296

20545（豪）
20446（香）
13593
11986
9502
5692（タ）
5685（台）
3133

2010　2011　2012　2013　2014　2015　2016　2017　2018　2019（年度）

図13・10　倶知安町における国別外国人観光客数

（倶知安町の統計資料をもとに筆者作成。2019年度は、2020年1月の小雪と2月以降の新型コロナウイルスの影響が見られる）

にも遊べる自然のポテンシャルを感じたため、ラフティングを導入した。日本人には、春の増水時期より夏の緩やかな流れが受けて、1年間の見込み客数を1か月で達成するほどの反響となり、「夏のニセコを変えた男」と言われた。

　オーストラリア人がオーストラリア人を呼び、ニセコ地域は、世界各国を経験したスキープレーヤーだけでなく、日本人スキープレーヤーの動画を撮影するスポットにもなり、スノーボーダーの聖地となっている。北海道庁が「北海道アウトドア資格制度」を2003年4月に創設した際には、フィンドレー氏も検討当初から積極的に関わり、指導者としてカヌー・ラフティングの技術向上に力を尽くしている。加えて行政は、ツリートレッキング、マウンテンバイクなどのアクティビティを幾重にも重ねて、魅力を高めようとしている。たとえば、アウトドアのライフスタイルの象徴として、午前中はラフティング、夕方はバーベキューを楽しみ、キッチンのついた「コンドミニアム」に宿泊し、温泉にも入って長く滞在してもらうことを提案したり、夏の宿泊費を冬の半額以

下とし、アウトドア活動と組み合わせるようなキャンペーンを行ったりしている。

　メディアによる魅力発信や格安 LCC の就航に加えて、2008 年のリーマンショック以降、オーストラリア人に代わって、アジア系外国人の数が増えるなど観光の流れも変わったため、今後はアジアからの外国人観光客を受け入れる仕組みを整えていく必要性が出てくるだろう。また出張に観光やレジャーの日程を追加し、社員の満足度を向上させて人材確保を目指す新たな旅行のスタイル、bleisure（ブリージャー、business と leisure を合わせた造語）の滞在地としての候補となっているほか、行政が力を入れているのが、日本国内外からの滞在型ワーケーション先としての誘致であり、スキー場のレストラン等を夏にはワーケーション用オフィスとして設備を整えプロモーションを行っている。

　前述の NPB では、ニセコ町、倶知安町、蘭越町の 3 つの自治体が共同で、ニセコエリアガイドやリゾートマップの観光アプリを制作している。NPB は、デザインに優れたプロモーションツールを作成し、外国人から見た日本として、和太鼓のサウンドにのせたイメージの中で情報を発信している。民家をリノベーションした独特のアートスペースとして世界の富裕層に人気の「SOMOZA」も、外国人デザイナーによるもので、外国から見た日本をテーマにした世界感となっている。これまで民間が主体となってリードしてきたプロモーションに、行政がどのように連携していくのかが、今後の課題である。

4　開発と持続可能性

　倶知安町に宿が数件しかなかった時代から数十年の間に、町の様相はすっかり様変わりした。2003 年ごろから、2 ベッドにリビング、ダイニング、キッチン、家電を備えた「コンドミニアム」に、グループで滞在する宿泊スタイルが増えた。日本のホテルは経営者が保有して運営するが、コンドミニアムは 1 つ 1 つのユニットごとにオーナーがいて、自分たちの滞在期間以外は貸し出して運用益を得ており、建物管理会社も年間何％かを管理費として受け取る。コンドミニアムのオーナーは区分所有しているため、開発者としては資金回収

が早く、銀行からそれほど借り入れを行う必要がない。もともとはオーストラリア人が自分たちの別荘として保有していたが、インバウンドが急増した2003年ごろより、投資と資本移動という面が強くなってきた。フィンドレー氏が、ニセコ地域の不動産を外国人へ紹介し、仲介売買していることもその背景にある。

　コンドミニアムの購入や開発の主役もオーストラリアからアジアに移り、中国・韓国では、本国の情勢によっては私有資産の没収のリスクもありえるため、資本のリスク分散の観点から、所有権の尊重度合いが高い日本に本国にある資産を移すスタイルで投資している。こういったコンドミニアムは、世界の富裕層に利用されており、倶知安町内に330棟、特にニセコエリア最大のスキー場に直結している目抜き通り「ひらふ坂」がある「ニセコひらふエリア」と呼ばれる一帯に、乱立気味に集中している。ニセコエリアへの海外からの投資は、2011年からの5年間で600億円、現在函館まで来ている北海道新幹線が延伸し、2030年度に倶知安駅が開業する予定であることも加味され、2020年には累計で1000億円規模となり、ますます高級化、高騰化が進んでいる。

　ただし、アジア人たちには自炊の必要なコンドミニアムよりもホテルが好まれることもあり、ラグジュアリーブランドのホテル建設も増えている。コンドミニアム宿泊者向けにも、NPBウェブサイトの中の「ダイニング」を見ると、「ケ

図 13・11　2020 年 1 月に開業したパークハイアットニセコ HANAZONO（筆者撮影）

ータリング」や、レストランでシェフが目の前で料理をするのを見ながら食事を楽しめる「Chef's table」のほかに、シェフがコンドミニアムに赴き出張料理をする「Home visit」など様々なジャンルがある。2020年1月には「パークハイアットニセコ HANAZONO」（図13・11）が HANAZONO リゾートに開業し、「リッツカールトンリザーブニセコ」（ニセコ町）もニセコアンヌプリの山裾に同年12月開業した。スキー場もシートヒーターつきリフトやフェラーリがデザインしたシートを使ったリフトを採用し、スキー場内での Wi-Fi 施設の整備や、センターリフトに直結した駐車場の再整備も検討している。

　地域ではハイシーズンの交通渋滞などのオーバーツーリズムを懸念し、また周囲と調和しない建物のデザインや色に対して周辺への配慮を求めるなど、観光の持続可能性のためのキャパシティコントロールの声が上がっている。2000年代前半にコンドミニアムが多くできた時は、建ぺい率や容積率に関するルールがない中で開発が始まったため、2008年に行政が準都市計画区域を指定して制限をかけた。しかし、それから10年の間に町の様相が激しく変化し、当時の基準ではスプロール化を抑えられなくなっている。一方、コンドミニアム導入期に規制に反対したデベロッパーが、国際リゾートとしてのブランド価値を保全するために、今では規制を重視するなど意識の変化が出てきている。

　サービス貿易の拡大に伴って外国からの参入や利権取得が容易になり、2008年以降、アジアのほとんどの国もそうであるように土地売買が借地権の売買であるサブスクリプション取引が急激に増加している。それにより温泉の掘削も増え、水道需要も逼迫しているため、行政が土地利用に制限をかけている。また持続可能性の観点からも、自然環境、景観といった共有財産を守るために、土地利用の制限をどのように行うのか検討している。民間企業もまた、スノー産業界が再利用材を使ったスノーボードを開発し、地域連携 DMO のイベントでもレスプラスチックを訴えるなど、経済規模の拡大による環境破壊が、経済規模を縮小させるという状況を招かないように対策を立てている。

5 課題解決に向けた行政の施策

　倶知安町では、土地価格の急騰によって政府による地方交付税額が減少する一方で、観光客を中心にした交流人口の増加による行政コストが増加していることもあり、2019年11月、新たな税を導入した。世界に誇れるリゾート地として発展

1室あたりの現金総額	¥73,304JPY
9月12日（土）	¥29,750JPY
9月13日（日）	¥29,750JPY
小計	¥59,500JPY
サービス料	¥5,950JPY
消費税	¥5,950JPY
倶知安町宿泊税	¥1,190JPY
消費税（サービス料分）	¥714JPY
税金と手数料	¥13,804JPY

図13・12　パークハイアット宿泊の場合の宿泊税の試算例（筆者作成）

表13・1　連携して取り組む課題と倶知安町単独で取り組む課題

質の向上 ニセコエリアとして広域的に取り組む	公共交通	域内・域外交通対策が十分でない
		外国人観光客の増加に起因する冬季間のタクシー不足
		バス・タクシードライバー不足
	治安・交通安全	外国人観光客・外国人が経営する飲食店増加に伴う治安悪化への不安
		外国人観光客のレンタカー利用の増加に伴う交通事故の増加
	環境・景観保全	ニセコルールの恒久的な維持とそのための人材育成
		ニセコ・羊蹄山の自然環境保全
	人材育成	スキーパトロールや山岳ガイドなどの人材育成
魅力の向上 リゾートタウンとして町単独で取り組む	公共交通	ひらふ第一駐車場の再整備と交通ターミナル機能の充実
	環境・景観保全	土地利用や景観面における配慮が十分でないこと
		コンドミニアムの建設に伴う森林伐採への不安
	人材育成	観光ガイド・通訳などの人材育成
		世界水準の観光人材育成（コンシェルジュ・ルームメイク・調理スタッフ等）
	受け入れ環境	観光案内・アクティビティ受付のワンストップサービス
		観光を支える施設整備の必要性
		世界の山岳リゾートと戦うためのプロモーション
		地域が主体的に街づくりを進めていくための体制が十分でないこと
	新幹線	西いぶりなど広域観光のハブ施設となる交通ターミナルの必要性
		新幹線駅があるメリットを最大限に生かしたリゾートタウンの成長

倶知安町資料をもとに筆者作成

していくことを目指し、魅力あるまちづくりと観光の振興を図るための施策を実現する独自財源となる法定外目的税の「宿泊税」である（図13・12）。年間3億円程度の収入を見込んでおり、5年ごとに、条例の施行状況と社会経済情勢の推移等を勘案しながら見直し、その時々の課題に対処するとしている。

　また倶知安町は、リゾート地としての質と魅力の向上のため、関係各所と連携して取り組む課題と、倶知安町単独で設定した取り組み課題を取り決めている（表13・1）。

13-4 ｜ 外国人観光客への聞き取りから見た課題

　ある地方自治体関係者は、「地域の観光関連企業は毎年新しい季節雇用者がやってきて、従業員教育を一から行うので、常にサービスレベルが課題だ」という。筆者が2020年1月、外国人観光客を対象にニセコエリア内4か所で実施した聞き取り（n＝23、ニセコ初訪15名、2回目以降のリピーター8名）からも、店舗やレストランでの言語接遇に課題があることが見えた。国別では欧米豪が70％、アジア系が30％である。外国人観光客がニセコを選んだ理由として、世界一のパウダースノーと呼ばれるニセコの雪質と施設の良さが多く挙げられ、ニセコを知った情報源は、口コミ宣伝が57％を占め、続いてインターネットが挙げられた（図13・13）。自由記述の特徴的な語として抽出され

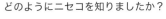

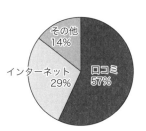

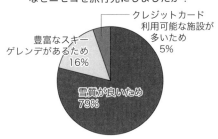

図13・13　ニセコの外国人観光客への聞き取り調査結果（筆者実施、2020年）

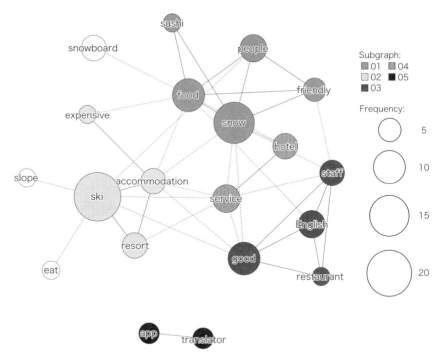

図13・14 ニセコの外国人観光客への聞き取り調査から得られた共起ネットワーク
（筆者実施、2020 年）

た 108 語を共起ネットワーク化した結果、<snow> <food> <accommodation> <service> <staff> などが挙げられ、これらが満足度のキーワードとなることが見えた（図 13・14、13・15）。

　各施設の言語接遇についての質問においては、ポジティヴな意見が多いが、満足度向上には、店舗やレストランでの言語サービスにおける改善が必要であるとわかる（図 13・16）。また、自由記述でも、7 件の言語接遇に関するコメントのうち "Restaurant staff don't speak much English.（レストランスタッフはそれほど英語を話さない）" など、5 件がネガティヴな回答であった。このような外国人観光客の声に応えるため、宿泊税を財源とした倶知安町の 2020 年度事業では、観光関連事業スタッフの言語接遇技術向上のために実践

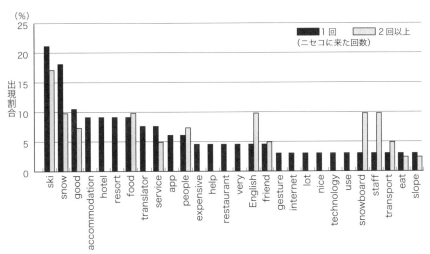

図13・15　外国人観光客へのアンケートの自由記述における頻出語（筆者実施、2020年）

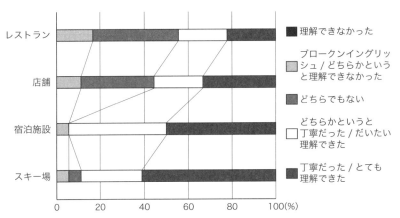

図13・16　外国人観光客にとっての各施設での言語接遇の満足度（筆者実施、2020年）
＊「理解できなかった」はいずれの施設でも 0% だった。

的な英会話講習や、観光ホスピタリティの向上を図るための対策を行い、冬の間、町内の総合病院に置く外国人患者向け通訳に対しての費用補助も行う。

　その他、目抜き通りである「ひらふ坂」の歩道および町道の一部でロードヒーティングを行い、さらに観光客用防災備品を整備することでリピーターが関

心を持つ安全安心への対策を行うなど、環境整備の課題への対策も練られている。また、冬のタクシー不足を解消するため、ニセコひらふエリアのバス停統一事業を通して、外国人観光客の路線バスの利用を促進し、地域内の利便性を向上させる取り組みを行っている。

13-5 | 持続可能な国際リゾート地の環境整備

1912年に、オーストリア人のレルヒ少佐がスキー指導のために北海道を訪れてから100年、第1次スキーブーム、第2次スキーブームと時代が変化し、その後やってきた移住者たちによってこの20年あまりの間にニセコは国際的リゾートとなり、住民の生活も豊かになった。それと同時に、住宅不足、外国資本によるコンドミニアムの建設とその周辺の土地の高騰、シーズン中の交通渋滞など、観光がもたらす課題も出てきた。こういった課題を前にして、観光客と住民、あるいは海外からの移住者と住民がいかに共存していくのか、地域の発展を主導してきた民間と行政がどう協働していくのかが問われている。観光によってもたらされたグローバルモビリティによって、多文化共生の代表として居住ブランド化したニセコ地域が、さらに進んだ持続可能な観光モデル地域に進化できるのか。国際リゾート化していく中で、持続可能な地域社会にするための取り組みが注目されている。

謝辞：本研究の調査にあたり、ご協力いただいたニセコ町役場、倶知安町役場、北海道インターナショナルスクール（HIS）のニセコ分校、NAC（ニセコアドベンチャーセンター）の皆様、そしてニセコ調査に誘っていただいた追手門学院大学の藤原直樹先生には心より感謝申し上げます。
＊なお、本研究は科研費18K0806の助成を受けた一部である。熊野古道を訪れる外国人宿泊客数の1、2、12月の総数が全体の9％（2019年、世界遺産 熊野本宮館調べ）と少ない理由の1つが、冬季のニセコ訪問にあるとの話があり、実際ニセコで聞き取り調査を実施したが、根拠となる回答は得られなかった。

[参考文献]

・「コロボウシとカボチャの物語」実行委員会（2008）「農緑活動による異文化交流のコミュニティづくり」『開発こうほう』2008年12月号、北海道開発協会（https://dl.ndl.go.jp/view/download/digidepo_1013781_po_no545_chiiki.pdf?contentNo=1&alternativeNo=）

・敷田麻実（2009）「よそ者と地域づくりにおけるその役割にかんする研究」『国際広報メディア・観光学ジャーナル』No.9、北海道大学、pp.79〜100

・「ニセコ観光圏」ウェブサイト（https://niseko-tourism-zone.com/）

・『ニセコ町まちづくり基本条例』（https://www1.g-reiki.net/niseko/reiki_honbun/a070RG00000379.html#e000000168）

・北海道ニセコ町ウェブサイト「国際交流ニセコ FRIENDS」（https://www.town.niseko.lg.jp/international/nisekofriends_e/）

・北海道（2020）『北海道人口ビジョン（改訂版）』および『第2期　北海道創生総合戦略』（http://www.pref.hokkaido.lg.jp/ss/csr/jinkou/senryaku/senryaku_2nd_vsion_senryaku.htm）

[注]

＊1　以前は山林が総面積の半分、132.5km² を占めているとされていたが、測定方式の違いで2009年には山林は総面積の26%、68km² に減少し、その他の目的が40km²（15%）から111km²（42%）へと上昇している。

＊2　詳しくは「路線価上昇、地元不満も　倶知安で14倍　固定資産税が急増」『北海道新聞』（2020年7月2日）を参照されたい。

おわりに ── ボーングローバルな地域戦略

　本書では、地方が海外とつながることによる地域活性化について、地域産業政策、農業市場、文化経済、観光、異文化コミュニケーションの観点からそれぞれの最新事例を中心に検討してきた。

　本書の内容を第1章で示した自治体規模別の国際戦略の取り組み図解（図1・3）にあてはめるならば、第1に観光分野の取り組みとして「観光まちづくり・ロケ誘致」にあたるものが8・9・10章の鉄道やアニメ聖地巡礼、第11章の田辺市とスペインのサンティアゴ・デ・コンポステーラの共通巡礼であり、これらはそれぞれが有するコンテンツの価値をより一層高める取り組みである。

　第2に産業分野の取り組みとして、「地域産品の海外販路開拓」や「中小企業の海外展開支援」にあたる、第2章のメルボルンの国際教育産業クラスター支援、第3章の唐津化粧品クラスター支援や第4・5章の桃・梨花芽穂木の輸出支援事例は、国際競争力のある地元産品・サービスの創出と地域のアクターの能力開発を促進し、自治体を中心にそれぞれの商品や企業に「信用」を付加することで、ビジネス取引を活発化させようとするものである。

　第3に人材育成分野の取り組みとしては、第2章の地域資源としての留学生の位置付けや、第6・7章の地方における外国人芸術家の存在と芸術活動、第12・13章の地域活性化をもたらすキーパーソンなど、外国人が地方に住み多様性を高め、アントレプレナーシップを示して地元の魅力を引き出す多様な活動を行い、地域に変革をもたらしている事例を確認した。

　国際戦略の推進は、海外の視点を地域に呼び込んで、地域の新たな発見をもたらすシステムづくりでもある。地域の強みを意識して、地域資源をどのようにして開発し、世界に対してどのように発信していくか、外国人たちをどのようにして受け入れていくのかといったことを、世界を意識しながら地域のまちづくりとして考えることである。さらに、まず国内の人を対象にし、次には海外にとステップを踏むのではなく、地域創造のプロセスすべての点において最初から世界を意識して取り組む「ボーングローバル」の心意気がある。

地域の国際戦略には多様な形態がある。自治体などが単独で行うものもあれば、共通した特徴を有する、あるいはその機能を補完し合う地域が国境を超え協働して取り組む国際戦略もある。そして、東京や大阪また福岡といった大都市のみならず、人口数千人から 10 万人程度の自治体であっても、その特徴を活かして海外との連携を行える可能性が倶知安町やニセコ町、そして田辺市の事例よりわかる。

　今後も引き続き大都市は発展するだろう。大都市は政治的にも商業的にも魅力的な情報発信地であることは変わりない。一方で、地方においてグローバルに訴求できる商品やまちづくりといったものが生まれてくるのであれば、それは外貨獲得や外国人観光客の誘致、中小企業の海外販路開拓といった経済効果以上に、国内の人々をも楽しませる存在となるだろう。そのことによって、地域の人々がより一層幸福になるような、そんな国際戦略が地方から生まれることが求められている。

　今、都市部においてコロナ禍での新たな生活様式をきっかけに仕事のやり方を見つめ直した人々が、そのスキルを地方において活かしていく。そこにはその地域に魅了された外国人もいる。地方に住みながらしばしば国際会議に参加したり国際見本市に出展し、海外からの情報や技術を導入して、地域資源と合わせて新しいもの、風景や商品を生み出していく。そのような仕事は極めてクリエイティブであり、私たち現代人のやりがいとなるところである。

　こうして地方が直接海外と接することで、多様性が生み出され、そもそもの魅力とともに、上質な仕事内容と働き方によって日本の地域創造が進展することを願って止まない。

　　　　　　　　　　　　　　　　　　　　　　　　　　　　　　藤原直樹

■編著者

藤原直樹（ふじわら　なおき）追手門学院大学地域創造学部・准教授

大阪市立大学大学院経営学研究科博士課程修了（博士：商学）。大阪市役所市長室、政策企画室、経済戦略局で都市プロモーションや企業誘致、特区における事業開発業務等に従事したのち2017年より現職。主な著書に『グローバル化時代の自治体産業政策』（国際公共経済学会 学会賞受賞）等。

■著者

飯田星良（いいだ　せいら）追手門学院大学地域創造学部・特任助教

大阪大学大学院国際公共政策研究科博士課程修了（博士：国際公共政策）。同大学院において博士課程教育リーディングプログラム修了（超域イノベーション博士課程プログラム）。2019年より現職。主な論文に『Japanese out-of-school activities in elementary school and selected outcomes』等。

岩田聖子（いわた　しょうこ）追手門学院大学基盤教育機構・常勤講師

テンプル大学大学院 M.S.Ed. in TESOL 終了（修士：英語教授法）。民間企業勤務、COP3でのアテンドや翻訳業、追手門学院大学・大阪府立大学非常勤講師を経て、2015年より追手門学院大学語学常勤講師、2018年より現職。熊野本宮観光協会英語アドバイザー。主な論文に『地域連携における大学英語教育プログラムの実践例：和歌山県田辺市での外国人観光客おもてなし力向上事業事後調査をもとに』等。

佐藤敦信（さとう　あつのぶ）追手門学院大学地域創造学部・准教授

東京農業大学大学院農学研究科農業経済学専攻博士後期課程修了（博士：農業経済学）。青島農業大学外国語学院外籍教師を経て2018年より現職。主な著書に『日本産農産物の対台湾輸出と制度への対応』（日本農業市場学会奨励賞（川村・美土路賞）受賞）等。

安本宗春（やすもと　むねはる）追手門学院大学地域創造学部・講師

日本大学大学院生物資源科学研究科生物資源経済学専攻修了（博士：生物資源科学）。株式会社旅工房、株式会社チックトラベルセンター、東北福祉大学非常勤講師を経て2018年より現職。サービス介助士、総合旅行業務取扱管理者。主な著書に『観光と福祉』等。

※略歴・役職は発行時のものです。

地域創造の国際戦略
地方と海外がつながるレジリエントな社会の構築

2021年2月28日　第1版第1刷発行

編 著 者………藤原直樹

著　　者………飯田星良、岩田聖子、佐藤敦信、安本宗春

発 行 者………前田裕資

発 行 所………株式会社 学芸出版社
　　　　　　　京都市下京区木津屋橋通西洞院東入
　　　　　　　〒600-8216　電話 075-343-0811
　　　　　　　http://www.gakugei-pub.jp/
　　　　　　　Email　info@gakugei-pub.jp

編集担当………神谷彬大

装　　丁………KOTO DESIGN Inc. 山本剛史

Ｄ Ｔ Ｐ………株式会社フルハウス

印　　刷………イチダ写真製版

製　　本………新生製本

ⓒ藤原直樹ほか　2021　　　　　　Printed in Japan
ISBN 978-4-7615-3271-0